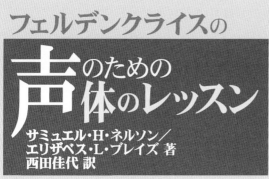

フェルデンクライスの

声のための体のレッスン

サミュエル・H・ネルソン／
エリザベス・L・ブレイズ 著

西田佳代 訳

Singing with Your Whole Self :
The Feldenkrais Method and Voice

By Samuel H. Nelson and Elizabeth L. Blades

晩成書房

Translated from the English Language edition of
Singing with Your Whole Self: The Feldenkrais Method and Voice,
by Samuel H. Nelson and Elizabeth Blades-Zeller,
originally published by Scarecrow Press,
an imprint of The Rowman & Littlefield Publishing Group, Inc.,
Lanham, MD, USA. Copyright © 2001 by the author(s).
Translated into and published in the Japanese language by arrangement
with Rowman & Littlefield Publishing Group, Inc. All rights reserved.

推薦の言葉　　斉田好男

　フェルデンクライス博士は、世界的に有名な指揮者イーゴリ・マルケヴィチの国際的な指揮法マスタークラスで、4年間、毎年1か月間の「体のレッスン」を受け持っていたそうです。指揮者はステージ上で唯一音を出さず、身振り手振り、すなわち身体運動で音楽を表現しますから、どのように身体を使うかは非常に重要です。指揮者以外でも、ヴァイオリニストのユーディ・メニューインやイツァーク・パールマン、ギタリストのナルシソ・イエペスら著名な音楽家たちも、博士から直接「体のレッスン」を受けていたと言われています。

　本書に、フェルデンクライス博士の「**自分が何をしているかが分かれば、望むものを得られる**」という言葉が紹介されています。私の指揮法ゼミでは、指揮台に立った人の（良くても悪くても）パフォーマンス通りの音をピアニストが出し、またビデオカメラのモニターを通して、自分の姿を確認することもできるようにしているため、耳と目を通して自分の指揮ぶりを客観的に知ることが可能となります。しかし、自分がどのようにしているかが自分で判断できない人は、どんなに言葉で注意し、具体的に良い動き・悪い動きを見せても、なかなか修正することができません。反対に自分の状態を"身体感覚的に"感じ、違いが理解できる人は、理想的な動きに早くたどり着きます。

　指揮は単なる腕の運動ではなく全身を使いますが、腕はもちろんのこと肩や胸にも不要な力が入らず脱力していることが必要で、これは歌うなど音楽的なことに限らず、すべての動きの基本と言えます。歌い手にとっては身体そのものが楽器ですから、どのように自分の身体を使うかは最も重要なことです。お腹だけではなく、足、胸、肩、腕、頭など、身体全体がどのように有機的に、歌うことに関わっているのか理解されなければなりませんが、これは本書の解説部分で詳しく説明されています。

　同時に、力を抜くためにも、まず脱力できていないことが自分で感じられなければなりません。自分の身体を感じる身体感覚（本書では「運動感覚的な感受性」）を高めることも非常に重要で、そのためのレッスンが、本書ではたくさん紹介されています。

　ウィーン国立音楽大学をはじめ、欧米の音楽大学では、フェルデンクライス・メソッドやアレクサンダー・テクニークなどのボディ・ワークが教えられているところが少なくないようです。本書は歌い手の皆さんはもちろん、指揮者や器楽奏者にとっても、より良い演奏のための大きな助けとなることでしょう。

斉田好男　指揮者、神戸大学名誉教授。斎藤秀雄最後の門下生の一人。オペラを中心に管弦楽、吹奏楽、合唱まで幅広いレパートリーを持つ。また各種コンクールの審査員、指揮法講習会の講師など幅広い活動を行なっている。名著『指揮法教程』（斎藤秀雄著）の導入本として書かれた『初めての指揮法』（音楽之友社）は、2016年3月現在、第16版が重版される人気書である。日本指揮者協会会員、日本吹奏楽指導者協会会員、日本合唱指揮者協会会員。

フェルデンクライスの声のための体のレッスン ●目次

序文

なぜこの本ができたか

　どうすれば、良い響きに対する内なる感じを発達させられるでしょうか？　どうすれば、歌っているときに自分自身のすべてを使うことを学べるでしょうか？　身体感覚felt sense（運動感覚kinesthetic sense）、頑張り、良い響きは、どう関係しているのでしょうか？これらの問いがこの本になりました。興味深いことに、このような問いは、声について教える本には見当たらないようです。

　声の教授法の本は、声のしくみ、良い発声のための「正しい」姿勢、響きをつくる構造の説明などの情報で満ちあふれています。そのような本にも、生徒の声の発達を促す数多くのエクササイズや声についての教えが書かれています。しかし、運動感覚的な感受性を詳細に探って発達させることや、それが響きに何をもたらすか、歌うときに全身をどのように使えばよいのかについては、どこにも書かれていません。この本では、この溝を埋めていきたいと思っています。

　運動感覚的な感受性を発達させるために本書で用いる手法は、フェルデンクライス・メソッドという、高度な感覚運動学習の方法です。本書では、声を発達させる上での重要な諸問題を見て、このユニークな方法からどんな洞察を得られるかを見ていきます。それから、どのように体を使うかを見たうえで、レッスンを紹介します。それにより、歌う能力が高まるだけでなく、病気や筋肉の緊張といった演奏時に生じる一時的な問題を、歌い手が認識して改善できるようになるでしょう。後者のための「即効策」もいくつかあります。

　このように、本書は知的かつ体験的な知識を提供し、それによって歌い手が自身の最高の状態で長く演奏できることを意図しています。

この本は何なのか

　この本は入門書であり、使っていただくためのものです。科学的な学術論文や計量可能な科学的研究に基づいた報告書ではありません。しかし、フェルデンクライス・メソッドの創始者である科学博士モーシェ・フェルデンクライスの、科学的な重要な仕事を具体化したものだと感じています。フェルデンクライスはソルボンヌ大学で教育を受けた物理学者であり

電気技師であり、1930年代の何年もの間、ノーベル賞を受賞したフレデリック・ジョリオ＝キュリーの重要な共同研究者でした。彼がつくったこのメソッドには、予測可能性と再現性という科学の重要な原則を人間の動きに応用したものも含まれています。このメソッドをつくるにあたり、フェルデンクライスは優秀な物理学者として、最初の原則から取りかかりました。彼のワークのほとんどは、最も基本的なレベルで力学を人間の機能に単純に応用したものです。たとえば、効果的な動きを生み出す、小さな釣合い重り（counterweights）に注目したのです。

　本書では読者/実践者に、このアプローチを本文の中で感じてもらうよう試みました。多くの場合、書いてあることは、それに続く動きの実験をやってみることで正しいと分かるでしょう。他に、思考実験もあります。ネルソン博士は経済学の修士学位を持ち、5年間アルゴン国立研究所で勤務しました。そこでは同僚のほとんどが物理学の博士号を持っていましたので、ネルソン博士はこの種の実験に非常になじみがあります。

謝辞

次の方々にお礼申し上げます。

私たちのイラストレーターであるAmy Waltsに。病床にあったにもかかわらず、本書のイラストを完成させてくれました。

Wendy Burwell に。その編集上のアドヴァイスに大変感謝しています。

Cindy Dietrich-Bloomberg と Steve Bloomberg に。本書の印刷前の最終版の準備を助けてくれました。

Matthew Zeller に。図表をスキャンしてくれました。

ハイデルベルク大学合唱団に。モジュール化されたレッスンを演奏ツアーで使い、役立ててくれました。

ニューヨークの Phelps のミッドレイクス高校の Anny Warbucks のキャストに。公演初日のウォーミングアップでネルソン博士に立ったままの短いレッスンを求めるほど、このレッスンを非常に気に入ってくれました。

そして、多くの生徒たちに。本書のレッスンを行なって成功を収め、本書のコンセプトの有効性を私たちに確信させてくれました。

第1章

概観

フェルデンクライス・メソッドと歌を教えることのつながり

献身的な声楽教師はみな、生徒が最も自由で最も美しい響きを見つけ、いつでもその声で歌えるように導こうとします。

その過程で、生徒が自由で美しい声の響きと運動感覚とを結びつけられるように、教師は努めるかもしれません。しかし運動感覚的な気づきがすでに発達している生徒もいれば、そうでない生徒も大勢います。運動感覚の優れた生徒ですら、ほんのちょっとしたことで自由かつ楽に歌うことが難しくなっている場合も多いのです。

こういった事情に理解ある教師なら、このようなちょっとした妨げを感じ取り、その生徒が閉じ込められた状態であることが分かるでしょう。生徒の肩に緊張を見て取ったり、声の状態から舌が緊張しているのを察知したりします。こうした緊張状態の対処法としてよくあるのは、生徒に肩回しなどの柔軟運動をさせるか、マニュアル通りの解決法で意識的に直させようとするかです。

しかし体の神経系は、そのように意識的・分析的に変われと命じられても、応えないかもしれません。コンピューターが「機械の言葉」を理解するのと同じで、体には体独特の「神経系の言葉」で話しかけなくてはならないのです。フェルデンクライス・メソッドは妨げを取り除くために、この体独特の「神経系の言葉」を使い、驚くほど簡単に体を調整し、歌い手と声を本当に自由にするのです。

ブレイズ博士（声楽教師）とネルソン博士（フェルデンクライス教師）は合同レッスンを行なう中で、生徒の体と声が変化する瞬間をたくさん目にしてきました。

次の2つの事例は、個人を対象とした合同レッスンからのものです。生徒が歌っているところを博士たちが観察して体の問題を見つけ、その後でネルソン博士が手技によるワーク

（機能的統合。詳細は付録参照）を行ないました。ブレイズ博士は本書の方法で自身のレッスンを行なうなかで、手技のワークほど劇的でないにしても、同様の変化を生徒に見てきました。

●ケヴィンの場合 （身長190cm、育ち盛りの19歳、声楽専攻、痩せて筋肉質）

　　筋肉質のお腹のため、彼の声域と声のスタミナは制限されていた。胴体の筋肉が引き締まり過ぎている上に、肋骨が全方向に開くものだとは知らなかったため、吸気が制限されていた。ネルソン博士はケヴィンの横に立ち、肋骨の側面が開いて呼吸が始まるのを感じるまで、片側の肋骨にやさしく手で働きかけ、同じことを反対側にもした。これにかかったのは10分ほど。その後、歌うと、彼の声はずっと豊かになり、声域が広がった。そして、体の前側や横側だけでなく、背中側でも呼吸するようになっていたのだ。

　　このように、教師の指示を生徒が誤解して「行なう」というのは、よくあることです。教師に言われたことを「行なう」ために、気づかぬうちに体の他の部分を緊張させてしまうこともよくあります。また、股関節（hip）を動かすように言われているのに、股関節の位置を正確に知らないため、仕立屋の「ヒップ」（実際は腰骨）から動こうとする、というように、生徒の解釈が教師の求めたことと異なる場合もあります。

●ドンナの場合 （かなり背が低い、アルト、コンピューター・プログラマー）

　　合同レッスンを受ける前に、約1年間ネルソン博士からFI（手技による個人セッション）を受け、レッスンを始めるきっかけとなった「習慣的な全身の緊張」を緩めることを学んでいた。その間に自動車事故に遭い、幸いわずかな打撲で済んだが、それがトラウマとなって以前の状態にいくらか引き戻されてしまい、回復には2週間で3回のレッスンを必要とした。

　　合同レッスンが始まったとき、ドンナは首と両肩に非常に強い緊張を抱えていた。また、頭を前に押し出す傾向があり、それが声を曇らせがちだった。さらに、彼女の声はすでにいくらかかすれており、少しか細かった。首を長くし、両肩を緩めるために、ネルソン博士は立ったままの短いレッスンを行ない、2～3分して首が緩んだところでやめた。すると、ドンナは自分が前より背が高くなったと感じ、見た目にもより真っ直ぐになっていた。歌うと、その声は前よりずっと明瞭で、より自由になっていた。曇った響きは消え、声が豊かになった。

フェルデンクライス・メソッドの概観

赤ちゃんのやり方で学べば、改善に限りはない

　フェルデンクライス・メソッドは、動きを使った自己発見のプロセスです。その目的は、個人が最小の努力で最大限に効率良いパフォーマンスができるよう、体全体を組織化する（organize）［訳注1］ことです。

　効率的な体の組織立て（organization）は、私たちが赤ちゃんだったころの「オーガニックな（organic）」学び方をすることで向上します。［訳注1］つまり、頭を持ち上げたりハイハイしたりすることを学んだやり方です。フェルデンクライス・メソッドは終わりのない啓発的な学びのプロセスであり、音楽をつくるのに限りがないように、改善のための無限の可能性を提供するのです。

「どれくらい」ではなく「どのように」するかが大事

　フェルデンクライスのレッスンに使われる動きは、単純で・やさしく・楽しく・探索するような面白いものです。動きは通常、パフォーマンスを明確にし、向上するために何度も繰り返されます。その焦点は常に「どのように」動きをするかにあって、「どれくらい多く」「どれくらい速く」「どれくらい一生懸命に」動きをするかではありません。動きはいつも、その人の現状を基準に、自分が心地よくできることだけをするように言われます。自分の心地よい範囲を越え、痛みや不快感を我慢して動かないよう注意されます。

メソッドの２つの側面

　フェルデンクライス・メソッドには２つの側面があります。１つは「動きを通した気づき」（ATM）というグループでの動きのレッスン、もう１つは「機能的統合」（FI）という、教師が手を添えて行なう個人セッションです。この２つは相互関係にあり、多くの曲がヴァイオリンからピアノへ移し替えられるように、多くのレッスンは相互に移し替えることができます。本書では手技によるFIは提供できないため、言葉で導くATMのみで成り立っています。FIについての説明は付録をご覧ください。

---

［１］「オーガニックな」学び "organic" learning　生きている有機体（organism）の発達の仕方であり、誰かに「これをしなさい」「このやり方が正しい」と言われてするのではなく、自ら試行錯誤し、数多くの可能性を試していくなかで、その時点で最も効率の良いやり方を身につけた学び方。ここでの organize（組織化する）・organization（組織立て）は、「体の各部分がどのように有機的に相互関連して働いているか」ということ。

体の機能が向上すると動くことが楽しくなる

　フェルデンクライス・メソッドでは生徒は、ある機能（座る・呼吸する・前に手を伸ばすなど、あるいはさらに複雑な機能）を明確にすることを意図した一連の動きによって導かれます。生徒はその機能を行なうための、より良いやり方、つまり習慣的なやり方よりも体のより多くの部分を動きに含めるやり方を、「発見する」ように導かれます。というのも、多くの場合、より良いやり方を発見することで、神経系の動きをコントロールする部分（大脳皮質の運動野）に影響を及ぼすからです。概念的な意識あるいは「思考」とは対照的に、変化は保持され、しばしば増幅する傾向があります。一般に、機能的な能力が向上すると動くことがずっと楽しくなり、（大人にとっては）生きる喜びが増すこともよくあります。

学びに熟達した脳ゆえに非効率な動きも身につけてしまう

　私たちの非効率的な動きのパターンは人間ならではです。馬の子が生まれてから5分後には立ち上がって動き回る一方で、正常な人間の子どもは約半年経ってから、やっとハイハイを始めます。このように、私たち人間は動物と違い、動きについてほとんど何も知らずに生まれますが、その代わりに私たちには、高度に学びに熟達した、非常に強力な脳があります。それで私たちは幼児のときに、寝返りを打つ・座る・立つ・歩くといったやり方を学習するのです。

　その学習は試行錯誤や模倣によってなされます。学びは不規則なので、うまく学べる動きもあれば、へたなもの、まったくできないものもあり、だいぶ経ってから問題が浮上します。痛みが出てきたり、不要に制限されていることに気づいたりするのです。さらに、怪我をしてすぐに問題が起きることもあれば、何年も経ってから起きることもあります。また、たとえば背骨の湾曲（側湾症）のような、構造的問題による困難を抱えている人もいます。

　フェルデンクライス・メソッドは、私たちの神経系の働きの再プログラムを助けることにより、最初に間違って学んだことや怪我、構造的な問題から起きる多くの困難を容易に克服できるよう助けます。

創始者とメソッド誕生の経緯

　フェルデンクライス・メソッドは、その創始者モーシェ・フェルデンクライスの名前からつけられました。科学博士であったフェルデンクライスがメソッドを発展させたのは、自身が膝の問題から車椅子生活になることを避けるためでした。

　20代の頃、彼はサッカーをしているときに片膝をひどく痛めました。この悪い方の膝で脚を引きずって歩くうちに、もう片方の膝を痛めました。結局、そのうちに膝の問題は消え、彼はソルボンヌ大学に行って物理学と電気工学を学びました。そこにいる間に博士号を取得し、フレデリック・ジョリオ＝キュリー博士 [訳注2] とともに働き、また柔道の創始者である嘉納治五郎博士 [訳注3] とも出会いました。この出会いが彼を柔道の真剣な研究へと

駆り立て、その結果、ヨーロッパで最初の黒帯保持者になったのです。

　1940年代に膝の問題が再発し、歩行が危ぶまれたとき、彼は外科医に「手術が成功する見込みはどれくらいか？」「失敗したらどうなるのか？」という2つの質問をしました。すると、成功の見込みは50パーセントであり、失敗すれば車椅子生活になるかもしれないことを告げられました。そこで彼は、手術を遅らせても成功の見込みが変わらないのなら、自分自身で何ができるか見てみよう、と決心しました。こうして、動くために自分自身をどう組織化するかについての、骨の折れる研究が始まったのです。

　この研究の中で彼は、柔道の動き、物理の力学、そして新たに学んだ解剖学や運動療法や生理学の知識を駆使しました。その過程で鍵となったのは、次の問いでした——「もし100歩歩いたうちで、たった1回、自分の膝が動かなくなったとしたら、その1回に自分はどのように違うことをしただろうか？」。この研究の結果、彼は再び歩けるようになっただけでなく、座る・立つ・体の横曲げ・体を回すといった機能の細部に、綿密な注意を向けることになりました。こうして、フェルデンクライスは独自の方法を編み出していったのです。

フェルデンクライス・メソッドの発展における鍵となる考え

　フェルデンクライス・メソッドの発展には、鍵となる次の5つの考えがあります。

　　(1) 人生はプロセスである
　　(2) 効果的な動きには体全体を含める必要がある
　　(3) 学びは人間の鍵となる行動である
　　(4) 選択肢をもつことの必要性
　　(5) 人間の発達の論理に従う

(1) 人生はプロセスである

　人生はプロセスである、というのは自明でしょう。誰も本当の意味で10年前のその人と同じではなく、その人が翌年にも今と同じということもありません。1日、1時間、1分と、

---

[2] フレデリック・ジョリオ＝キュリー　Jean Frédéric Joliot-Curie（1900～1958）　フランスの原子物理学者。妻イレーヌとともに、人工放射性元素の発見によりノーベル化学賞を受賞。義母はマリ・キュリー、義父はピエール・キュリー。

[3] 嘉納治五郎（1860～1938）　柔道家・教育者。柔術の諸流派を集大成して「柔道」を創始、講道館を設立。東京高等師範学校（現・筑波大学）校長を務めた他、旧制灘中学校（現在の灘中学校・高等学校）の設立にも関わる。東洋初のIOC（国際オリンピック委員会）委員。1940年の東京オリンピックの招致に成功（後に戦争激化により返上）。柔道・スポーツ・教育分野の発展に尽力した。

期間を短くとらえるにつれ、違いがとても小さくなって、実際的には違いがないに等しくなるだけで、その真実は変わりません。似た傾向として、音楽のある曲にアプローチするたびに少し違うように思われるのは、同じ曲の異なる面に気づくからです。

　フェルデンクライス・メソッドのなかに埋め込まれたプロセスの力学は、この音楽的な体験とほぼ同じです。それは、メソッドの2つの構成要素の名前を見れば明らかです。つまり、「動きを通した気づき」（Awareness Through Movement、略してATM）は、今自分がしていることに気づくことこそ、意図していることであると示しています。また「機能的統合」（Functional Integration、略してＦＩ）の意図は、ある機能—座る・呼吸する・手を伸ばすなど—をめぐる私たちのありようを、その機能（とそれに関連する機能）の出来ばえが変わるようなやり方で統合することです。

　このプロセス志向が示すのは、その人の構造的な問題や静的な状況について知ることは助けになるかもしれないが、フェルデンクライス・メソッドでワークが成功するのに必ずしも必要ではない、ということです。

(2) 効果的な動きは体全体を含める

　どんな動作も、完全に効率よく有効であるためには、その人全体が関わらなければなりません。つまり、その人のすべての部分がその動作を支え、高めなければならないのです。そうでない場合、体のいくつかのエリアは動作に含まれていないか、意図した動作に対抗するよう働いているか、あるいはその両方です。これは、どんな動作をするにも、その人全体が関わっているときと比べ、決まってより大きなエネルギーを必要とします。もしどこかのエリアが関わっていなければ、その人が気づいていようといまいと、それらの動きを妨げるために何らかの努力をしなければならないからです。

　たとえば、手首を下に曲げてください。そのとき指も一緒に湾曲させていることに気づきましたか？今度は、手首を曲げるとき、指をまっすぐのままにしてください。違いを感じられましたか？もし感じられなければ、もう一度ゆっくりと両方試してください。手首を曲げる動きに指が関わっていないとき、どれくらい余分に努力が必要になったか感じましたか？

　要求された過剰なエネルギーは、過剰な摩擦熱となって消散するか、あるいは過剰な筋肉の緊張になります（摩擦自体は生活に必要で、摩擦がなければ歩くことは不可能）。この過剰な摩擦と筋肉の緊張による消耗が、背中の痛みや手根管症候群、多くの関節炎の状態など、動きに関わる多くの問題を引き起こします。それぞれの動作において、自分の全部を使うという理想に近いやり方を探すことが、フェルデンクライスのワークの基礎となります。

(3) 学びは人間の鍵となる行動である

　地球上のすべての生き物の中で、人間は最も未熟な状態で生まれてきますから、他のどんな動物よりももっと学ばなければなりません。本当に私たち人間は、人生のうちの最初の

2，3年、貪欲に学びます。そして、大人になっても学ぶことをやめません。むしろ、私たちが自分の外側と内側の変化に順応するにつれ、学びは生涯を通じて死ぬまで続くのです。

次の言葉は、モーシェ・フェルデンクライスの著書からの引用です。

要するに人間の脳は、学び、あるいは新しい反応の習得を、正常で適切な行動とするようなものだと言えるでしょう。それはまるで、神経の相互連絡の好ましくて有効な組み合わせが個々の経験によって形作られるまで、あり得るどんな組み合わせでも機能する能力があるかのようです。それゆえ、実際に行なうパターンは本質的に個人的なものであり、偶発的なのです……

このように、脳には、個々の神経の通り道と筋肉的なパターンを形作る偉大な能力があるため、誤った機能の仕方を学んでしまう可能性もあります。誤りが起きるのが早ければ早いほど、より根深いように思われますが、そのとおりです。誤ったふるまいが実際の運動のメカニズムに現れますが、後に、神経系が望ましくない運動性に適合するように発達し終えたときには、その人固有で変更できないように思われるでしょう。望ましくない運動性をつくり出している神経の通り道がほどかれ、より良い配列へつなぎ直されない限り、それは大部分そのままで残ります。　　　　　　　　　　　　　（フェルデンクライス 1949, 40）

フェルデンクライスが発展させたことは、この「神経の配線のつなぎ直し」を行なうために動きを使うという素晴らしい方法であり、どんな人でもより良く機能するよう助けられる方法なのです。まさに、フェルデンクライスは次のように信じていました。私たちの動きは十分に不完全なので、「何の問題もない」人でも、どの年齢でもFIを使うことができるし、ATMから無限に利益を得ることができるのだ、と。人間はとりわけ、生涯を通じて学びが可能であり喜びとなるようにつくられているのです。

(4) 選択肢をもつことの必要性

行動において選択の余地がない人は、強迫観念にとらわれていると見なされます。これは望ましい状態ではありません。それは十分に人間らしい状態ではない、とフェルデンクライスは信じていました。もし選択肢が2つだけならば、状況は大して変わりません。機械的になり、いつもAかBのどちらかを選択する状態です。私たちは誰でも、動きと学びの領域において、強迫観念的または機械的な部分があります。それらはたいてい私たちにとって重要ではありませんが、それはその事柄自体が取るに足らないことだからか、私たちがそれらを人生において取るに足らないものとしているからです。

たとえば、ネルソン博士はネクタイの結び方を1つしか知りませんから、ネクタイを着けるならそのやり方で結ぶか、あるいはネクタイを着けないかのどちらかです。それはAかBかの機械的な決定です。もし他に蝶ネクタイでも持っていたら、3つめの選択肢をもつこ

とになり、本当の意味で選択することができます。さらに多くの選択肢をもてるに越したことはありませんが、少なくとも3つめの選択肢をつくり出すことで、効果的な選択が可能になるのです。この点において初めて、その人は、強迫観念的あるいは機械的に反応するという固定された状態をやめ、生き生きとして人間らしくなります。

　ですから、生徒が自分で選択肢をつくり出せるように助けることが、フェルデンクライスの教師の意図なのです。これは、各レッスン中に選択肢を提供することによってなされます。その選択肢から、ある機能を遂行するためのより良いやり方を、神経系が選ぶことができるのです。

（5）人間の発達の論理に従う

　ある人の機能性を高めるよう助けるには、人間の発達の論理に従うことが重要です。歩けない人に走ることを期待することはできません。たとえば、損傷を受けた子どもの脳を考えてください。最初の一歩は、その子が発達のどの段階にいるかを確かめることであり、それから普通は次の段階に何が起きるか考え、そして最終的に、この正常な発達を引き出すための方法を見つけます。同じような考え方が他のケースにも用いられ、その問いが今度は「効果的な行動を回復させる論理的な発達は何か？」または「見た目には関係のないように見えるどんな問題が含まれているのか？」になるだけです。

　『ノラの場合：ヒーリングセラピーとしての体の気づき』（邦題『脳の迷路の冒険─フェルデンクライスの治療の実際』壮神社刊）は、脳出血で損傷を受けた女性ノラの回復を助けるために、フェルデンクライスがこの考え方を用いたことを物語っています。

　彼女は歩くことができ、知的な会話もできましたが、読み書きの能力を失い、ドアを見つけることや、そのドアに歩いて入って行くことが困難なこともよくありました。数年後、老人ホームに収容される前の最後の望みとして、ノラはフェルデンクライスのところへ連れて来られました。

　ノラには左右の概念がないことに気づいたフェルデンクライスは、彼女が基準枠（frame of reference）[訳注4]をつくり直すのを助けることに取りかかりました。相当な困難の末、ノラが仰向けの状態で基準枠をつくり直しました。ノラが仰向けで左右の概念を学び終えたとき、フェルデンクライスは彼女を寝返りさせました。しかし、この姿勢では、ノラはもう一度、すべて学び直さなければなりませんでした。つまり、左右の概念は内面化されておらず、長いすなどの外部の物と関連づけられていたのです。彼女の基準枠を完全に内面化するには約2か月かかりました。

---

［4］関係づけの枠組み frame of reference　健康な人なら、自分自身と左右とを関連づけるものをそれぞれ持っている。たとえば、もし右手を上げるように言われたら、立っているか座っているか仰向けになっているかに関わらず（つまり体の位置とは関係なく）、必ずいつも同じ側の手を上げる。このことを英語では frame of reference（関係づけの枠組み、参照の枠組み）と呼ぶ。

　ノラに用いられた人間発達に不可欠の要素は、緊張を減らし、それによって感受性を高め、小さな変化を感じ反応できるようにすることでした。このことが、私たちの子どものような学びの能力を刺激するのです。子どもの注意力は好奇心によって方向づけられますから、子どもは大人のように練習したりせず、むしろ、ただ楽しいから、1つの動きを繰り返すのです。このやり方で動けば緊張がなく、成長と学びの可能性が最大になります。また、頑張りをともなうと感受性が低下しますが、子どもは大人よりずっと弱いので、筋肉を強力に緊張させることができません。ですから、子どもは大人よりも感受性が高いのです。このように、私たちの好奇心を再び動きに引きつけ、またトーヌス（筋肉の張り）を下げることで、私たちはもう一度、子どものやり方で学ぶことができるのです。

　そしてこれらが、フェルデンクライス・メソッドの有効性の基礎となる、主要な考えです。

運動感覚的な想像力

行なうことができることは想像でき、また想像できることは行なうことができる。

― モーシェ・フェルデンクライス

運動感覚的な自己イメージ

　あなたは、どれくらいうまく自己イメージを描くことができますか？つまり、静止状態でも動いているときでも、どれくらい正確に自分自身を感じることができるでしょうか？たとえば、両手のことを想像したとき、両方を等しくうまく思い描くことができますか？それとも利き手の感覚の方が大きいでしょうか？　では、前方に体を傾けてください。体のどれくらい多くの部分がこの動きに関係していると感じましたか？　おそらく背中の筋肉が関わっているのを感じたでしょうが、太腿やお尻の筋肉にも変化を感じられましたか？

　実際、私たちの誰も、自分のことを常に正確に思い描ける人はいませんし、ほとんどの人はそれを試みようともしません。このように自分自身のことを思い描けることが「運動感覚のイメージ kinesthetic image（あるいは身体感覚felt sense）」として知られるものです。

最小限度を超える緊張は、無駄なばかりか有害ですらある

　より正確な運動感覚のイメージを発達させることは、非常に価値があります。というのは、それによって、自分がしていることを、より完全に知ることができるからです。さもなければ、不注意に緊張を身体システムに伝えてしまうかもしれません。また、運動感覚のイメージを発達させることによって、重大な問題になる前に、過剰な緊張に気づくこともできます。

　最小限の必要量を超えるどんな緊張も、無駄使いであると同時に有害でもあります。誰も

完璧に効率良く体を動かすことはできませんから、幸い、人間には修復するしくみがあります。生きていれば当然、損傷したり修復したりしますが、残念ながら、これらの修復のしくみは年齢とともに衰えていきます。若いときには避けて通れたことが、中年では問題化し、老齢になったときには痛みになる可能性があります。ですから、運動感覚のイメージをよく発達させることで、人は不要な緊張に気づき、より心地よく、効率良くなれるのです。最終的には、「運動感覚的な想像力」を使い、より正確な運動感覚のイメージを発達させることで、パフォーマンスを向上させるような変化を起こすことができます。

多くの音楽家が不要に体を痛めている理由

　多くの音楽家は不要に体を痛めています。というのも、彼らは手遅れになるまで自分がしていることを感じられないからであり、またあまりにも長く練習しすぎるからです。

　もしある曲が難しい場合、長すぎる練習は普通、過剰な緊張を伴います。よくあるやり方は練習し続けることです。たとえそれが期待はずれに終わるかもしれなくても。この状況では疲労してしまいますが、そのときこそ最も怪我が起きやすいのです。

　運動感覚的な想像力を使えば、学ぶ時間を短くすることも、望む音を手に入れる方法を見つけることもでき、しかも体を痛めるようなことは劇的に減ります。

正しくないやり方を練習すれば、「完全に」間違うようになる

　練習が完全をもたらします。けれども、何かを正しくないやり方で練習すれば、間違いを完全にすることになります。これこそ、人が歌い方や演奏の仕方を変えることが非常に難しい理由です。まさに「正しい」演奏のための内側のイメージが、この間違ったやり方になるのです。何時間もの練習にも関わらず、うまくいかないことがよくあるのはこのためです。

　運動感覚的な想像力はこのような場合に理想的な道具です。それにより、問題の根本である内側のイメージを変えることができるからです。つまり、内側のプログラムを変えることができれば、演奏の問題はほとんど魔法のように消えるのです。

あるヴァイオリニストの場合

　ネルソン博士は、イーストマン音楽学校で、ある若い女性のヴァイオリニストと広範囲にワークしました。

　あるとき彼女は、勉強中の曲のある楽節で、弓を使い切らずに弾きこなすことができなくなりました。弓を取り上げてその曲を弾くと、いつものように、その楽節の途中で弓を使い切ってしまいました。そこで博士は彼女に、その曲を弾いているところを運動感覚的に、ただ想像するよう言いました。例の難しいところへ差しかかったとき、彼女は急に、にっこりと微笑みました。楽器を持たずに想像しているときですら弓を使い切ってしまったことに、彼女は気づいたのです！　ですから問題は明らかに、その楽節を彼女の内側でどのように組

織立てるかにあったのでした。

　彼女は、その楽節を弓が十分に長い状態で弾いているところを想像するように言われました。彼女がこれを3回できた後、博士は彼女にヴァイオリンを手に取って弾くように言いました。すると今回は弓を十分に使うことができました。今や、彼女はその曲を練習するとき、完全に間違う代わりに、完全に弾くことができたのです。

運動感覚的な想像力を発達させるには

　本書のレッスンを行なえば、あなたの運動感覚的な「気づき」は自然に増しますが、運動感覚的な「想像力」を発達させることこそが、この本の主要な目的の1つです。よって、いくつかのレッスンでは、実際にその動きを行なう前に、まず運動感覚的に想像することが求められます。また、どんなレッスンや活動をするときでも、このやり方をすることができます。

　口を開けたり足を持ち上げたりといった単純な動きを、ゆっくり、やさしく行なってください。やっていて心地よい動きを選んでください。行なうときには、その動きを自分がどのように行なっているかに注意を向けながらやってください。今度は同じ動きを想像してください。それからその動きをもう一度やって、この動きを想像の中でどれくらい完璧に思い描けたかに気づいてください。それから、前に想像したとき見落としたことを含めて、それをさらに2,3回想像してください。想像することと行なうことを、交互に数回以上、行なってください。そうすれば、最後に想像するときには、その動きに対して最初に想像したときより、はるかに多くのことを、あなたは見つけるでしょう。そして、動きを（少なめのレベルで）実際に行なわずに想像することはできない、ということにも気づくでしょう。

　たとえば、右肩を前に動かしているところを想像してください。肩の筋肉がかすかに前へ動くのが感じられますか？近くで見ている人がいれば、実際にこのごくわずかな動きが見えるでしょう。想像することと運動感覚的に始動することは、根本的には同じですから、このアプローチによって、自分のやり方に差し挟んでしまっていたことに気づかなかった妨げを回避することができるのです。

音楽家にとっての最終的なメリット

　音楽家にとっての運動感覚的な想像力の最終的なメリットは、音を出さずに練習できることです。誰かが寝ているとき、練習できる部屋がないとき、公共の交通機関を利用しているときなど、音を出して練習できない状況はよくあります。そういった多くの状況では、音を出さずに練習する方法を学ばなければ、練習することはできないでしょう。

このワークと教授学的な文献との関係

次に挙げるのは、古今の発声に関する本からの引用です。

体の姿勢はまっすぐで、両腕を後ろで組み、両肩を後ろに引かなければならない。こうすれば胸が開き声は簡単に出る。

——Manuel Garcia (father), 『歌うための訓練と方法』rule4, 1819-22

良い姿勢とは、胸は心地よく高く、頭が水平な状態で背骨と首はまっすぐ。体重はわずかに前へ、足指の方にかかり、片足がもう片足よりもいくらか前にある……足指はわずかに外に開いているべきである。

——Van Christy, 『表現力豊かに歌う』1967

正しい姿勢は、歌い手の体重を前の方に、両足の母指球に置くことから始まり、踵を床につけ、歌い手の背の高さと体重により、両足はわずかにずらして、片足をもう片足よりいくらか前に置く。尾骨は押し込むか下へ丸め、骨盤が前へ出るようにする。

——Larra Browning Henderson, 『歌手の訓練法』1979

良い歌の姿勢のために一般的に容認されている立ち方は次のとおり。両足は床の上にしっかりと置き、少し離す（およそ30cm）、片足はわずかにもう片足の前へ。体重は両足の前の部分にかかるべきであり、そうすることで呼吸がずっと柔軟になり、またよりエネルギッシュな印象になる。

——Jan Schmidt, 『声楽の基本』1998

反り上がった口蓋。想像上のソプラノは……自分の喉の中を鏡でのぞいて、何が起きているか見る。舌が後ろで下がり、根元から舌端に向かって溝ができているのが見えると同時に、おそらく軟口蓋のアーチも見えるだろう。

——William Vennard, 『歌うこと、そのしくみと技術』1967

喉頭が低く軟口蓋が高いとき、咽頭は水平方向よりもいくらか垂直方向に長い。生徒の声が浅くなったり共鳴がなくなったりするとき、私は生徒の注意をこの垂直の感覚に向け、「より垂直な音」を求める。マリリン・ホーンが、垂直の感覚が自分自身の歌い方に大いに関係がある、と説明するのを、私はかつて聞いたことがある。彼女は「まるで喉の中に鉛筆が1本立っていて、消しゴムが喉頭の上にあり、そしてとがった芯が軟口蓋に向いているかのように歌う」と言った。「もしそのやり方で軟口蓋が高く保てないとしたら、どんなことをしてもできない！」と。

——Richard Alderson, 『声楽トレーニングの完全な手引書』1979

いかにして「声の絶対的真理」は成立したか

このように、まじめな声楽教師たちは長年にわたり、自由な発声の無数の様相を明快な指示で記述しようとしてきました。残念なことには、はじめは単に、自然で無意識の出来事を明敏に観察したものだったのが、反駁できない「声の絶対的真理」という地位を獲得してしまったのです。どのようにしてこれが起きたかは理解できます。つまり、

1. 明敏な声楽教師が、際立った自然歌手（自然にうまく歌える歌手）が歌っている様子を綿密に観察する。

2. 明敏な教師が声の出し方に気づき、それを本に書いて報告する―たとえば、「Aが歌うとき、咽頭の後壁は広く、軟口蓋は高く上がっており、結果として豊かで満ちた声になる」。

3. それを読んだ人は、「あぁそうか！　豊かで満ちた声になるためには、必ず軟口蓋を高くしなければならないのだな」と考える。

4. 読んだ人は生徒に「軟口蓋を上げなさい！」と指示する。生徒は忠実に、意識的に筋肉で頑張って、咽頭の後壁を持ち上げようと試みる。その結果、無意識のうちに緊張が生じる。

5. 記述は絶対的真理となり、疑問の余地なく押しつけられるが、**しかし感じられない**。この誤解は世代から世代へと受け継がれ、永遠に続く。

乗馬の場合でも

この現象は他のパフォーマンスの訓練でも起きます。たとえば、乗馬の初心者は「踵を下げたままにしなさい」と言われます。それは、乗り手が爪先を押し下げる傾向があり、そのためブーツの爪先が誤ってあぶみを押し下げ、落馬した場合に引きずられてしまうことがあるからです。乗り手はこの忠告に従って踵を無理やり押し下げ、爪先よりもかなり下の方に押し下げがちになります。このため姿勢が崩れ、足首や脚、背中に緊張を生み出します。（座っているときに両足を床から持ち上げ、踵を下に強く押し下げれば、これを自分で感じられます。）それは馬にとっても良いことではありません。

かつてネルソン博士は、リンダ・テリントン‐ジョーンズのワークショップで次のような光景を見ました。（リンダは認定されたフェルデンクライスの教師で、フェルデンクライス・メソッドを応用し、馬の機能性を向上するために馬とワークするTTEAMというメソッドをつくりました。）先述したような馬の乗り方をする女性が、明らかに脚を引きずっている馬を連れてきました。リンダがその馬に乗ったとき、自分の足を基本的に水平にしたままで乗りました。つまり椅子に座っているような姿勢です。すると、リンダが乗っている間は、その馬は脚を引きずらなくなりました。その馬は、実際わずかに脚が不自由でしたが、しか

しその不自由さのほとんどは、乗る人の乗り方のせいだったのです。

やり続ければ間違ったやり方も正しく感じる

　私たちには途方もない知性と順応性があるのに、言葉では動作を完全には描写できないため、このような状況になります。

　たとえば、誰かに何かを言うと、彼らは自分が言われたと思うことをします。私たちはとても順応性が高いので、たとえ間違っていると感じるときでも、それをします。長い時間が経つと、それは自分のやり方、あるいは「普通」のことになります。そして普通のことは、正しくないときでも、自分にとって正しく感じられます。それから、何かをするこのやり方は伝えられ、真実として受け入れられるようになるのです。

教師自身も「運動感覚的な気づき」が必要

　しかしながら、発声教授法の分野はついに、体と心の気づきという新しい時代に入ってきたようです。現代の発声の教師は、生徒を効果的に導くために、責任をもって自分自身の運動感覚的な気づきを発達させなければなりません。もはや単に「これをしなさい、あれをしなさい。軟口蓋を上げなさい！……舌を前へ保って……横隔膜から歌いなさい！……胸を高く保って！」と言うだけでは不適切なのです。生徒が自分の運動感覚的な識別能力に耳を傾け、自然な調整の仕方（そのうちに自動的に起きるようになります）を見つけられるようにしなければなりません——操作を通してよりも知性ある体とともにワークすることによって。それには、教師も体の自然な機能を理解し、過度の妨げや緊張を感じとるために運動感覚的に気づきのある状態になる必要があります。そのような緊張を実際に経験した教師はもう二度と、否定的な影響を考えもせずに「声の神話」を使おうとはしないでしょう。

　この本で私たちは、多くの誤解や間違った情報を正したいと思っています。それらが調査もされずに繰り返されることで、歌の教えの絶対的真理となった、多くの声の神話を永続させてきたのです。

動きを通した気づき（ATM）のレッスン

感受性は頑張りに反比例する

　「動きを通した気づき」（ATM）のレッスンは、たいていグループで行なわれます。ATMのレッスンでは、生徒は、体の横曲げや体を回すといった機能を明確にすることを意図した一連の動きを、教師の言葉の指示を聞きながら行ないます。これによって、より優れた機能の仕方が身につきます。強調されるのは学びのプロセスであり、「どのように」するかということです。動きは概してやさしく、ゆっくりです。自分が何をしているかに対して敏感で

あることが非常に重要です。

　ウェバー‐フェチナーの法則によれば、ある刺激における変化に気づく能力は、その刺激の度合いとは逆になります（Shafarman 1997, 179-80 参照）。単純にいえば、頑張りと感受性は反比例するということです。ですから、感受性を最大化するためには頑張りを減らさなければならないのです。

　痛みや不快感は学びや気づきを高める妨げとなりますから、それらを避けるために、動きはその人の心地よい範囲内で行なわれる必要があります。生徒はしばしば、自分が何をしているか、体全体を通してどのようにそれをしているかに気づくよう求められます。たとえば、頭が持ち上げられたとき、背骨の下の方はどうなっていますか？という具合です。

　学びは高度に個人的な問題ですから、ATMは競争するものではありません。生徒は自分のペースで進み、学ぶようにと奨励されます。

学びに最適なのは頑張り感の少ない姿勢

　自分自身について学ぶときには感受性が中心的な役割を果たしますから、一般的なATMのクラスでは、ほとんどのレッスンは床の上に寝て行なわれます。感受性は頑張りに反比例するため、レッスンを行なうのに最も頑張り感の少ない姿勢が、普通は最も学びに適しているからです。とはいえ、合唱団や他の音楽家たちの特別な必要性に応えるため、本書では、ほとんどが椅子でできるレッスンのシリーズを用意しました。これらのレッスンを通して行なえば、運動感覚のイメージが向上し、楽で優美な感覚がもたらされるでしょう。ウォームアップとしても使えるよう、レッスンはモジュール（単位）に分けられています。

レッスンへの導入

　本書のレッスンは、7〜10分の短いモジュールに小分けされています。1つのレッスンを1回でまとめて行なう時間があるなら、効果がより分かりやすく、より持続するので望ましいです。でも、今日の忙しい生活においては、いつも可能とは限りません。そこで、モジュール化することで、ほぼ同じくらい多くの効果を得られます。ただ時間を増やしていけばよいのです。1つのレッスンを一度通して行なってから、レッスン全体の感覚が本当につかめるまで、一日に最低1モジュールを行なうことができれば、とりわけ効果があります。

　モジュール化の別の利点は、ウォームアップに適した長さだということです。通常、合唱団にはメンバー全員が心地よく寝られるほどの床のスペースがありませんから、本書のレッスンは椅子でどこででも行なえるようにつくられています。

自分にとって心地よい環境を作ることが大切

　レッスンを行なうのに、特別な準備はほとんど必要ありません。別のやり方をとくに指示されなければ、できればレッスンが始まる前に、靴を脱いでください。また、必ず、適度に座り心地のよい椅子、つまり、両膝を曲げた状態で両足が床に届く椅子に座ってください。もしあなたの背がかなり低ければ、本を1，2冊持ってきて、足の下に置いてください。もし、あなたが長身で椅子が低すぎるなら、心地よく座れるように、椅子の上にクッションか本を何冊か置き、その上に座ってください（下のイラスト参照）。**可能なときはいつでも、まわりの環境をあなたに合うように調整してください。**自分自身を居心地の悪い状況にむりやり合わせるのは避けるようにしてください。

　けれども、快適さもまた習慣によるものであり、もしあなたの習慣的なあり方が体を痛めるようなものならば、一時的な居心地の悪さはむしろ望ましいものかもしれない、ということを知っておいてください。たとえば、10代の多くは座るときに背中を丸くします。この姿勢はやがて問題を引き起こすでしょうし、もちろん若くて柔軟な人であっても、歌う能力を損なうでしょう。しかしながら、背骨が体重を支える状態でまっすぐに心地よく座ることが身につくまでは、まっすぐの姿勢はしばしば強制されるものですから、居心地が悪いのです。

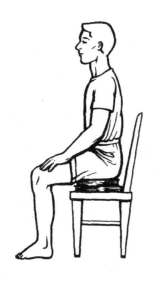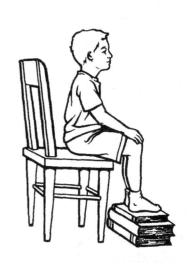

レッスンを行なうときの諸注意

　レッスンの中の動きはすべて、ゆっくりと注意深くなされなければなりません。動きと動きの間では、その動きをするのにかかるくらいの時間をとってください。

　もし少しでも痛みがあれば、**ただちにやめてください。**もし疲れてきたら、**やめてくださ**

い。どちらの場合にも、その動きをしているところを運動感覚的に想像することができます。つまり、その動きをするのがどんな感じかを想像するのです。たとえば、拳を握るところを想像してください。その筋肉の収縮を**感じましたか？**　想像しているのがどんな感じかよりはっきりするように、もう2,3回やってみてください。この概念については後の章で、さらに詳しくお話しします。

　この遊びのようなワークの中では、**行なうことをどのように行なうか**にこそ価値がある、ということを、どうぞ忘れないでください。ですから、注意をもって2,3回繰り返すなら、何をしているかを身体システムが観察し学ぶ機会をもてるため、機械的に10回か20回またはそれ以上動きを繰り返すよりも、はるかに価値があります。

　また、ある意味で、動きは**楽しい**ものである必要があります。もし動きが決まりきった仕事として、あるいは外部にあるゴールを達成するためになされるとしたら、非常に効果の低いものになるでしょう。とくに、痛みや不快感を無視して行なう場合、動きを続けることは**有害**ですらあります。したがって、動きを楽しめる時間をとれることが、きわめて重要です。もし時間が足りなければ、繰り返しを少なくして、ゆっくりと行なってください。動きをより速くしようとはしないでください。

正しくできているか不安なときは

　自分は正しくレッスンを行なっていない、と感じることはよくあることです。その場合は、**パニックにならないでください。**その代わりに、指示を読み直してから、そのレッスンを今あなたが理解しているとおりにやってください。もしそれでもまだ、自分がしていることが正しくないと感じるとしたら、次の2つの可能性があります。

　第一の可能性としては、あなたはその指示の正しい解釈どおりやっています。けれども、あなたには間違って感じられるとしたら、その動きが現在のところは、あなたにとって非常に難しいか不可能だからですので、心配はいりません。学びには、ときとして難しいことをすることも含まれます。フェルデンクライスの指導者養成コースでは、すべての参加者が、このような難しさや不可能な感じを一度ならず経験するでしょう。けれども、辛抱強く、心地よくできる範囲で続ければ、魔法のようなことが起こります。ときには、自分がその動きができていることに突然気づいたりします。あるいは翌日に、あるいは次回そのレッスンをするときに、今まで不可能だったことができるようになり、すでにできていたことが楽しいものに変わったことを発見するかもしれません。

　第二の可能性として、あなたは間違った動きをしていることもあります。けれども、この動きを、痛みや不快感を避けて注意深く行なうならば、最悪なことは何も起こりません。十中八九、あなたは自分の動きについて何か学ぶでしょう。また、次にこのレッスンをやってみるときには、「正しい」動きができる可能性も大いにあります。

　それに、絶対的に正しいやり方はない、ということも、どうぞ理解してください。人はそ

れぞれ異なっていますから、私たちはめいめいに、自分の現在における一番良い方法を見つけなければなりません。これらのレッスンはそれを可能にしてくれます。さらに言えば、スタート時点であなたが「より悪ければ悪いほど」、あなたはレッスンからより大きな効果を得るということを、どうぞ理解してください。ですから、他の誰かができているとか、うまくやっている、ということではなく、自分自身の運動感覚的な気づきと能力を向上させることに焦点を合わせてください。

動きは何度も繰り返し、違いに気づく

　可能なときには、1つの動きを簡単だと感じる（少なくとも最初にやってみたときと比べて簡単だと感じる）まで、何回も繰り返すとよいでしょう。20回くらい繰り返すのが役に立つことは、よくあります。本書のレッスンで提示されている回数は最低限だと考えてください。もっと行なう価値があると感じるなら、ぜひともそうしてください。1つの動きを繰り返すたびに、動きを良くするにつれて何が違うかに気づいてください。

　動きがまずいことについては心配いりません。それは学びの単なる一部に過ぎないのですから。

　1つのモジュールの終わりに、違いに気づくように言われます。何が変化したか、動きについてだけではなく、あなた自身の他の側面についても調べてください。たとえば、あなたの今の気持ちはどうか、他にどんな感覚に気づくか、といったことです。立ち上がって動き回るときにも、変化に気づいてください。

　この後に、これらのレッスンがどんなものか感じられる、短い簡単なレッスンがあります。これを行なえば、首を回すのが楽になるでしょう。始める前に必ず、本書のすべてのレッスンをする上での「書き方の決まり」と「動きの決まり」を読んでください。

■書き方の決まり

- 動きの指示はすべて、**太字**で書かれています。
- 誘導、質問、繰り返しの回数はすべて、普通の字体で書かれています。

■動きの決まり

- もし痛みを感じたら、**やめてください。**それから動きのスピードか範囲か大きさを変えてください。それでもうまくいかなければ、その動きをするのはどんな感じかを想像してください。

- ゆっくりやってください。決して急いだり機械的になったりしないでください。自分が何をしているかを感じたいのですから。
- もっと頑張るのが助けになる、という考えは捨ててください。学ぶときには、そのような頑張りは自分が何をしているかを感じる邪魔になります。
- 提示されている繰り返し回数は最低限です。モジュールの終わりのチェックの動き以外は、可能ならば、ゆっくりと 15 〜 20 回やってください。
- 小休止は動きと同じくらい重要です。小休止をとばさないでください。

■イラスト

　イラストは、それに該当する最初の指示の後にあります。イラストを見て使うのは、指示を読み終わってからにしてください。いくつかのイラストは一連の指示より広範囲に該当します。その場合、大きなイラストは最初の指示のため、挿入図は後の指示のためです。もしこれが混乱を招くようでしたら、そのイラストは無視してください。

　黒や灰色の矢印があるところでは、黒矢印が指し示すのは力がかかるところを、灰色矢印はその力に反応する動きを表しています。

ミニ ATM：自由に体を回すために首を自由にする

1.　両足を肩幅に開いて、心地よく立ってください。
　　ゆっくりと頭を左右に何度か回してください。それぞれの向きに、どれくらい遠くまで、どれくらい楽に、どれくらいスムーズに動くかに気づいてください。

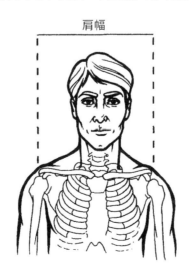

肩幅

2. 頭と肩を動かして左を見て、それから真ん中に戻ってください。これを4～6回やってください。ゆっくり、やさしくすることを忘れないでください。

3. 頭は前に向けたままで、ゆっくりと肩だけを左へ回して、真ん中に戻ってください。これを4～6回やってください。

4. 目線を正面の一点に固定してください。目線はその一点に固定したままで、頭を左に回して、それから真ん中に戻してください。ゆっくりとこの動きを繰り返してください。目が緊張しないように、やさしく動いてください。

5. では、頭を左右にゆっくりと回してください。左への動きの楽さや距離を、右への動きと比べてください。また、始めたときの動きとも比べてください。

6. 体のバランスをとるため、右側でステップ2から4まで通してやってください。

第2章

コントロールと、あるがままにすること

積極的なコントロール

本当にうまくやっているときには、何かしている感じはない

　私たちは、ある活動をしているときはいつでも、コントロールしていたいと強く思っています。自分が何かをしているということを、知っていたいと思っています。とくに、自分の技術や能力に自信がない場合は。ですから、もし自分がそれをしていると感じることができれば、それが何であれ、自分は正しくできている、と感じるのです。

　でも、何かを本当にうまくやっているときは、非常に集中しているので何の感覚もなく、ただ意図を遂行しているだけなのです。本当にうまくやっているときには、「頑張り感のない努力」をしています。この感覚には、「フロー（流れ）」「ワンネス」「とらえどころのない明白さ」「ゾーンにいる」など様々な名前があります。しかしその経験を再現することこそが重要なのであって、名前は問題ではありません。その流れるような状態を再現するためには、自然に起きるにまかせる必要があります。ですから、積極的にコントロールしようとすることは、この状態に達する妨げとなり、最終的には最適なパフォーマンスの邪魔になるのです。

強制している感覚＝余分な頑張りは、習慣になりやすい

　どこかのエリアを積極的にコントロールしようと頑張るとき、何が起きるか考えてみましょう。歌い手にとっては、顎、舌、呼吸のしくみ、あるいは軟口蓋によく見られます。そのエリアはどのように働くべきかという観念があらかじめあると、そのやり方を行なうように、私たちは意識的にそのエリアに命令します。これは実際のところ、ある特定のやり方を行なうよう、自分自身に強制しているということです。もし無理やりではなく適切にやって

いると感じるなら、そうはしないでしょう。しばらくすると、この強制している感覚は習慣になり、その感じがなければ何か間違ったことをしている、と信じ込んでしまいます。しかし、この余分な頑張りこそが間違いなのです！

　こんな古いジョークがあります。ある基礎訓練中の新兵が、教官のところへ走ってきて叫びました。「軍曹！　軍曹！　何か恐ろしいことが起きています！　すぐに自分を医者のところに送ってください！」教官が、どうしたのか尋ねると、新兵は「私の中の火が消えてしまったのです」と答えました。実を言うと、彼の母親がひどく料理が下手で、彼はあまりにも長い間、胸焼けしていたため、それが当たり前だと思っていたのです。

　これと同じように、強制することは習慣になりやすいので、それをやめるまでは自分が何をしているかが分からないのです。習慣的であろうとなかろうと、**力が入った感覚あるいは頑張り感は、そのやり方が最適ではないことを示しています（つまり、何かが間違っているのです）。** これは、たとえ自分や聴き手が望む声を得た場合でも、そうなのです。というのも、こうしたことが起きるとき、私たちは余分な頑張りをしているか体を緊張させている（あるいはその両方）からです。そのため最終的には、早い時期に発声能力が低下することになります。（しかも、そのような緊張の結果、ほぼ例外なく、ほとんどの人が気に入らない響きになるか、声域に問題が起きます。）

余分な頑張りを「寄生的な動作」と呼ぶ

　フェルデンクライスはこの余分な頑張りのことを「寄生的な動作（parasitic action）」[訳注5]と呼びました（フェルデンクライス 1985,85-86 の短い論文参照）。この動作は望んでいる成果の役に立たないばかりか、ときには有害ですらあります。たとえば、腕を上に伸ばすときに足の爪先を丸めるようなことは、多少ましな方かもしれませんが、腕を前に伸ばすとき骨盤を後ろに引っ張るようなことは、おそらく有害でしょう。

　しかし、それがたとえましであっても、行なうことの邪魔になります。なぜなら、筋肉組織は中枢神経系につながっているので、どこかに緊張があれば、ある意味で、あらゆる場所に緊張があることになるからです。つまり、私たちの神経系が相互に連結している結果、ある筋肉群を緊張させれば、ただちに他の筋肉も緊張するのです。このように、何かが不要に緊張すると、その結果、意図を実現するために、さらに少し余分な力が必要となるのです。

余分な頑張りがもたらす悪影響

　この余分な頑張りには次の3つの悪影響があります。それは、(1)パフォーマンスすること

---

［5］寄生的な動作 parasitic action　何かの動作をするとき、同時に、その意図した動きとは関係ない別の動作を、無意識にしてしまうことがある。その意図されていなかった別の動きが「寄生的な動作」で、ときには筋肉の緊張となって、意図していた動きを妨げることがある。この動作は望んでいる成果の役に立たないばかりか、ときには有害ですらある。

によって、必要以上に疲れる、(2)怪我が起きやすくなる、(3)余分な緊張により音質が低下する、の3つです。

　疲労は、使えるエネルギーに対してエネルギーがどれだけ費やされたかによりますから、明らかに、どんな課題に対しても、使われるエネルギーが少なければ少ないほど疲れにくくなります。余分な頑張りがあると怪我をしやすくなる理由は、余分な頑張り自体が余分な緊張と消耗を招くからであり、また疲れたときには、より怪我が起きやすいからです。頑張れば頑張るほど、筋肉組織が緊張した状態になります。私たちが出す声の響きは私たちの全存在が生み出すものですから、この緊張した質感は私たちの声の響きにも表れます。

　「寄生的な動作」も「積極的なコントロール」も、不要な頑張りを伴うため、どちらも疲労・怪我・声の歪みという同じ結果になります。声が年齢を重ねるにつれ、声域が狭まるという別の結果も待っています。これは第一には、不要な緊張がもたらした長期間にわたる損傷によるものです。(多くの場合、損傷の原因である不要な緊張を手放せば、声域は回復することができます)。ですから、楽に歌う歌い手はより長く衰えず、自分の完全な声域をずっと長い間保つ傾向があります。

私たちは自分で物事を難しくしている

　この不要な頑張りという現象は、実際に広く見られます。フェルデンクライスはこのことをよく分かっていましたから、よく「**私たちは自分で困難をつくり出している**」と主張しました。この主張は普通ではありませんが、真実です。このワークに慣れるにしたがって、あなたはご自分の経験からこれを証明することができるでしょう。

　自分の能力を超えて何かをしようと頑張るとき、標準的なやり方は**もっと一生懸命にやろうとする**ことです。もっと一生懸命にやろうとするとき、人は緊張します。この緊張する行為は、実際には目的達成の邪魔になる可能性があります。もし目的を達成したとしても、たいていは代償として不快感があります。

　たとえば、口を少し開けてください。これは簡単です。今度は、左手で顎を押し上げながら口を開いてください。どれほど顎や首の筋肉が緊張したか感じられましたか？腕の力が強いため、これは無理だとはっきり分かっていても、もっと一生懸命に**やろうとして**体を固くするでしょう。これがどんなに不快だったか気づきましたか？

　何かを難しいと感じるとき、達成するために体を固く締めつけるという同じパターンが起こります。このように体を固くする結果、過剰に緊張すると同時に、難しいという感じをもちます。このパターンが何度も繰り返されると、多くの物事が実際に難しくなります。これが、年配の方たちが制限された状態になる理由の1つです。事実上、物事が実際に難しくなるまで、難しく行なう練習をしているのです。

　ある曲を歌うのに苦心するとき、しばらくするとそれが非常に難しくなるのも同じ理由です。実際には、間違ったやり方を習得してしまうまで、間違ったやり方を練習し続けたこと

になるのです（もちろん故意ではありませんが）。しかし、このような難しい感じは必要ありません。もし、望んだ方向に行きつつも、失敗してもいいのだと気持ちを楽にできるなら、達成することがもっと簡単になると分かるでしょう。いずれは自分がしたいことをするやり方を見つけるでしょう。そして、そのやり方は楽なやり方であり、とりわけ、曲を練習する初期段階での頑張りとは対照的です。

あるがままにすること、あるいは消極的なコントロール

　何かをうまくやることを自分に許す（自分が何かを自然とうまくできるにまかせる）、というのは簡単なように聞こえますが、残念ながらそうではありません。問題は「積極的なコントロール」と「無気力」との間の、良い頃合いを見つけることです。

　実際のところ、「頑張り感のない努力」に達するには、多くの練習と努力が必要です。けれどもこれは、意図を理解しつつも、頑張っているという身体感覚を手放すことをめざした練習です。これを消極的なコントロール、つまり、力ずくの感覚なしで明確な意図をもつことで達成されるコントロール、と考えることもできます。

消極的なコントロールは瞑想状態に似ている

　消極的なコントロールに見られる安らぎは、瞑想と関係があります。実際のところ、非常に深く没入して自分という感覚が消えてしまう、深い瞑想状態と考えられるかもしれません。同じ感覚は、うまく歌っているときにもあります―つまり、「自分という感覚」がなくなり、ただそれが起きるのです。同時に、感覚は研ぎ澄まされます。今していることを正確に感じることができ、微調整が自動的に起こるように思えることがよくあります。もちろん、これが頻繁に起きるためには、「手放すこと」を練習する必要があります。

　私たちは、積極的なコントロールに努めるよう社会から教え込まれていますが、私たちが求めるコントロールを本当にもたらすのは、実はこの消極的なコントロールなのです。この状態なら、コントロールすること、たとえば軟口蓋や舌のコントロールではなく、自分の意図―本当の目的―の実行に集中することができます。軟口蓋や舌のコントロールなどは二次的なコントロールであって、本当の意図を達成するのに必要だと感じるかもしれませんが、でもそれ自体をしたいと望んでいるわけではありません。それに、コントロールすることをやめることで、本当にそれが必要だと感じるとき、たとえば怪我や病気のときに、積極的なコントロールを使うことができるのです。積極的なコントロールに頼っているうちは、それは選択肢の１つではありません。

　この概念を探り始めるのに良い方法は、体の重さを床に支えてもらうことです。多くの人は実際のところ、自分で自分を支えなければならないと思っています。しかし、体重を地面

に下ろせば、自動的に地面が支えてくれます。次のエクササイズはこのことを感じることを意図しています。

ATM：重さと梃子（てこ）

　このレッスンは椅子でしてもかまいません。その場合は、最初の2つのモジュールだけやってください。このレッスンを椅子でするには、脚を立てる代わりに、椅子の前の端に座り、足裏を床につけて、指示に従ってやってください。休むときは、椅子に深く腰かけて休んでください。

1.　仰向けに寝てください。自分の体を丁寧に調べてください。背中のどこが床と接触していますか？　お尻はどのように接触していますか？　どれくらいバランスがとれていると感じますか？　**両膝を曲げて、両足が床につくようにしてください。これを仰向けで一番楽にするやり方は、片膝を横に曲げ、その脚を回して立てることです。それから反対側の脚で同じことをしてください。右のお尻の下に紙が1枚あると想像してください。やさしく体重を移して左のお尻を通して下にかけることで、右のお尻を空中に持ち上げてください。想像上の紙を取り除くのに必要な高さだけ持ち上げてください。これを8回以上くり返してください。くり返す前に、少なくともこの動きをするのにかかるくらいの時間、止まってください。毎回この動きをするたびに、より軽く、より簡単にできる方法を見つけられるでしょうか。やめて休んでください。**

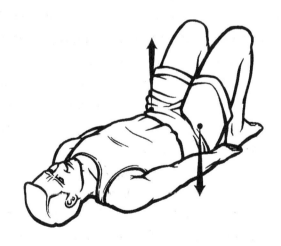

2.　**紙を取り除くために右のお尻を持ち上げる別の方法は、右足を通して体重を下にかけることです。これを4〜6回してください。毎回、どうすれば動きをより簡単にでき**

るかを感じてください。もし助けになるなら、次のように想像してください。膝関節のところに滑車があり、ロープがついていて股関節とつながっています。ロープのもう一方が足裏のところで床の方向に引っ張られています。これが有効な梃子（てこ）の感覚を与えてくれるでしょう。少し止まってください。

3. 想像上の紙を、左のお尻の下に移動させてください。**今度は、左のお尻を持ち上げるために、体重を右のお尻に移してください。頑張りをできる限り少なくすることを忘れないでください。**必要なことは、単純に体重を移すことだ、ということを感じてください。これを少なくとも8回くり返してください。毎回、体重移動をより軽くする方法を探してください。神経系が情報を処理できるように、動きと動きの間で間（ま）を取ることを忘れないでください。この動きを軽く簡単にできるようになったと感じたら、やめて休んでください。

4. **今度は、左のお尻を持ち上げるために左足で押すとき、何が起きるかを見てください。**これを5〜6回やってください。ただ紙を取り除くのに必要な高さだけ持ち上げることを、忘れないでください。やめてください。両脚を伸ばして休んでください。自分の体を丁寧に調べて、今はどのように床についているか、始めたときと比べてください。

これがこのモジュールの終わりです。もしここでやめるなら、立つ前に少し間（ま）を取ってください。それから立って、どんな変化にでも気づいてください。最後に、少し歩いて、違う感じがするか注意を向けてください。ステップ5から再び始めてください。

---

5. もう一度、仰向けに寝て、ざっと自分の体を調べてください。**両膝を曲げて、足裏を床につけてください。体重を左側の肋骨に移してください。頭をいくらか左に動かしてもかまいません。このように体重を移すことで、紙を取り除くのに必要な高さだけ、右のお尻を持ち上げてください。**動きが優美に感じられるまで、これを少なくとも5回くり返してください。10回くり返した後でも、まだ少し力ずくでしていると感じるなら、いったんやめてください。後でもう一度やってみたら、簡単な感じがするでしょう。止まってください。

6. **今度は左のお尻を同じ手順で持ち上げてください。今は、体重がかかっているのは右側の肋骨です。**もう一度、優美で楽な感じをめざしてください。力ずくでしないでく

ださい。もし動きを力ずくでやっているなら、力ずくですることだけを学びます。上達することはありません。この動きを5〜10回くり返してください。それから少し止まってください。

7.　**今度は左のお尻を持ち上げるために、骨盤の右側に体重をかけることと、左足に体重をかけることを組み合わせてください。**これを3〜4回やってください。これは、これらのやり方のうち1つだけを使うのと、どのように違いますか？

　　肋骨に体重をかけることも加えてください。これをもう3〜4回やってください。実はもっと早い段階でこの3つすべてが関係していて、1つが主となって他の2つが起きていたことがお分かりになりますか？　というのも、この動きをするためには3つとも**起きなければならない**ことだからです。少し休んでください。

8.　**これまでにやった3つのやり方のうち、どれでも2つを組み合わせることで、左のお尻を持ち上げてください。**これを3〜4回やってください。

　　今度は3つめも加えて3〜4回くり返してください。やめてください。両脚を伸ばしてください。自分の体を丁寧に調べて、今はどのように床についているか、始めたときと比べてください。

これがこのモジュールの終わりです。もしここでやめるなら、立つ前に少し間<ruby>間<rt>ま</rt></ruby>を取ってください。それから立って、どんな変化にでも気づいてください。最後に、少し歩いて、違う感じがするかに注意を向けてください。このレッスンの椅子バージョンはこれで終わりです。床バージョンをする場合はステップ9から再び始めてください。

9.　**仰向けで、両脚を伸ばして寝てください。この姿勢で、左のお尻を持ち上げるために、さっきやったように、体重を右のお尻にかけてください。**これはさっきよりも難しいでしょう。でも、力は使わないでください。お尻を持ち上げるために必要な、最小限の体重移動だけでやってください。これを4〜5回やってください。止まってください。

10.　**今度は同じ動きを反対側でやって、右のお尻を持ち上げてください。**4〜5回くり返してください。毎回、動きがより柔らかく、よりやさしくなるようにしてください。

少し休んでください。

11. 右のお尻を持ち上げるために、体重を右脚、とくに右の踵にかけるやり方を見つけてください。毎回これをするときに、もう少し自分にやさしくなってください。とくに最初は、動きにかなりの集中力が要求されますが、大きな力は不要です。この動きをくり返すとき、力を使う代わりに、どれくらい洗練されたやり方でできるかを見つけ出してください。少なくとも5〜9回行なってください。少し休んでください。

12. ステップ11を反対側でくり返してください。5〜7回やってください。毎回、より楽にできることをめざすのを思い出してください。動きと動きの間に、動きをするのと同じ長さの小休止をとっていますか、それとも急いで機械的になり始めましたか？少し休んでください。

13. 両膝を曲げて両足裏を床につけてください。まず右のお尻を、それから左のお尻を、一番簡単なやり方で持ち上げようとしてください。最後にやったときから変化しましたか？　休んでください。

これがこのモジュールの終わりです。もしここでやめるなら、立つ前に少し間を取ってください。それから立って、どんな変化にでも気づいてください。最後に少し歩いて、違いに注意を向けてください。ステップ14から再び始めてください。

---

14. 両脚を伸ばして平らに寝てください。体重を左の肋骨にかけて、右のお尻を持ち上げてください。頭は転がるにまかせてください。骨盤があまり、あるいはまったく持ち上がらなくても、心配しないでください。ただ体重を移すだけです。5〜7回やって、毎回、より完全に近いかどうか、動きに注意を払ってください。休んでください。

15. 前の動きをくり返しますが、体重を右に移動させて左のお尻を持ち上げてください。4〜6回、やさしくやってください。止まってください。

16. 左のお尻を持ち上げるために、体重を移す3つのやり方（体重を右のお尻にかける、左の踵にかける、右の肋骨にかける）すべてを組み合わせてください。3回やってください。それから、体重を反対側に移しながら、右のお尻を3回持ち上げます。最後に2回、左右のお尻を交互に持ち上げてください。休んで床との接触に気づいてくだ

さい。

17.　**両脚を曲げて両足を床の上に置いてください。左右のお尻を交互に持ち上げてください。**以前と比べましょう。止まって、座って、立ってください。どんな変化にでも気づいてください。少し歩いてください。どれくらいバランスがとれていると感じますか？何か違いに気づきますか？

レッスンの終わり

緊張と機能

　緊張は生きるために必要です。トーヌス（筋肉の張り）がまったくなければ、立ったり座ったりはもちろん、呼吸すらできません。問題が生じるのは、過剰に緊張するか、間違った場所が緊張するか、あるいは緊張が不十分なときです。

緊張が過剰な場合

　どんな課題をするにも、必要以上に緊張すると、そのパフォーマンスは無理をしているように見え、余分な頑張りを伴っていると感じます。

　たとえば、あなたがこれを読んでいる間、顎をきつく締めつける必要はありませんが、ともかくそうやってみてください。緊張した感覚が感じられますか？　これをしている間、足に注意を向けてください。今、足までもわずかに緊張しているのが感じられますか？　これが、余分な（あるいは不要な）頑張りが私たちにもたらすことです。この余分な頑張りも長時間にわたれば、不要な消耗という結果に終わります。

　ときには、体全体を緊張させているわけではなく、意図達成に関係のない体のある部分を余分に緊張させていることがありますが、これは体全体に過剰な緊張が広がっているのと同じ結果になります。あなたが顎をきつく締めるエクササイズをなさったなら、すでにこれを感じたことでしょう。もし緊張した状態がずっと続けば、しばらくすると、この緊張を感じなくなることがよくあります。あまりにも習慣的になって、それを自分の正常なあり方だと見なすのです。しかし、訓練を受けた人が見れば、それに気づくでしょう。歌っているときには、その緊張はおのずと声の響きに表れます。それがほんのかすかでない限り、声への影響は著しく、結果として、締めつけられた、聴き心地のよくない声になります。また、声域が制限されたり、言葉が不明瞭になったりすることもよくあります。長期間にわたると、声

が不要に悪化することになります。

緊張が不十分な場合

　緊張が不十分な場合もまた、発声の能力を低下させます。緊張がなければ、弦の緩んだヴァイオリンやギターと同じで音が出ません。しかし、これはよくある問題ではありません。普通は、声が疲れたり、出し過ぎたりするときや、若い女の子の声、あるいは歌い手が「息もれ」声を使おうとしているときに起こります。

　ですから私たちは、綱渡りをするように、演奏にちょうど十分であってそれ以上ではない、理想的な緊張状態を望むのですが、最初のうちは難しいです。けれども、適度な緊張を保つ感覚が発達するにつれ、そうすることはもっと簡単になります。まだ集中したままでいることは必要だとしても。理想は、適度な緊張を習慣にすることです。そうできたとき、パフォーマンスは心地よいものになり、聴く人すべてに優美でくつろいだ感じを与えるのです。

　次のレッスンでは、相対的な緊張レベルを探ることができます。過剰とはどういうことか、また意図を実現するためにはどれくらいの緊張が必要なのかを体験できるでしょう。

ATM：舌の緊張を和らげる

1.　心地よく座ってください（または仰向けで寝て、両膝を曲げて両足を床につけるか、両脚を伸ばします）。**口を開いて、これがどんな感じか見てください。**何度かくり返して、毎回より楽にできるでしょうか。

　　手で軽くこぶしを握ったり緩めたり、何度かしてください。毎回、手がより自由でリラックスした感じになるようにしてください。ではもう一度口を開いて、これがどんな感じかを見てください。

2.　舌を口の右下の隅に動かしてください。**口の中で、楽に届く範囲で一番奥の歯の内側に、舌で触ってください。それから上に移動して、この歯の先端に触れてください。**まだ楽にできますか？　もし楽でないなら、**緊張せずに歯に触っていられるところまで、舌を口の中央寄りに移動させてください。舌を楽に行ける範囲よりも遠くへ行かせないでください。**多くの人は一番奥の歯の内側に触れることができますが、その上面に行くと、少し緊張を感じます。もしそうなら、**隣の歯に移ってください。この歯の上側を探ってください。**これはどんな感じですか？

それぞれの歯を順番に舌で触って、楽にできる範囲で口の左側の一番奥まで行ってください。止まって、少し休んでください。

3. 　口の中の右下の隅で、楽に届く一番奥の歯に触ってください。この歯の内側の表面を探ってください。必ず、緊張せずにこれをしてください。ほんのわずかな緊張もはっきり感じて、それを減らすやり方を見つけてください。口の中の中央寄りに移動することで緊張が減るなら、そうしてください。

　楽にできる範囲で左の方へ一番遠いところまで、緊張せずに、舌で歯にひとつずつ順番に触れて行って、内側の表面を探ってください。止まってください。

　口を開いてください。口の上側と下側で違いが感じられますか？　休んでください。

4. 　口の中の右上の隅で、楽に届く一番奥の歯に、舌で触ってください。舌を動かして、この歯の先端に触ってください。もし、ほんのわずかでも緊張を感じたら、中央寄りの隣の歯に移ってください。この歯の先端を探ってください。峰や谷に気づいてください。もし詰め物をしているなら、きめの違いを感じられるか見てください。

　舌で隣の歯を調べてください。左へ移動しながら、左側の最後の歯にたどり着くか、もしくは舌に緊張を感じ始めまで、それぞれの歯の先端を探ることを続けてください。止まって少し休んでください。

5. 　口の中の右上の隅で、楽に届く一番奥の歯に触ってください。この歯の裏側の表面を探ってください。これをしている間、舌はどんな形ですか？　舌が楽でいられるエリアを感じられますか？　次の動きをするとき、この楽な感じが広がり、もっと楽になるようにしてください。

　緊張せずに、舌で歯にひとつずつ順番に触れて行って、歯の内側を探って、楽に届く範囲で一番左へ行ってください。止まってください。

　口を開いてください。今の感じ方と始めたときの感じ方を比べてください。

これがこのモジュールの終わりです。一度でできない場合、ここでやめるのが妥当です。
ステップ 6 から再び始めてください。

6. 口を2度開いてください。舌を下側の歯に伸ばし、右の後ろで楽に届く範囲で、一番奥の歯の外側の表面に触ってください。今は歯を探るのに、舌の下側を使っているでしょう。**この歯を探って、それから続けて中央そして左へ向かって移動してください。心地よくできるところまでだけにしてください。急がないでください。ゆっくりと行くことで、それぞれの表面と、歯と歯の隙間を感じることができます。行ける範囲で左まで行ったとき、舌を歯の内側に戻してください。止まって休んでください。**

7. 今度は舌で、できるだけ右の後ろの方の、上側の歯の前の表面に触ってください。今回は舌の前側を使っています。**この歯を探ってから、中央へ、そして左に向かって続けていってください。表面全体を感じて、しかも舌の緊張が増さない範囲で、できるだけ遠くまで行ってください。**奥歯から前歯へと進むにつれて、歯の形の違いを感じることはできますか？　進むにつれて舌の曲がり方はどのように変化しますか？　**左側で楽に行ける限界までたどり着いたら、舌をいつもの位置に戻してください。**止まって休んでください。

8. 口を開いてください。今はどんな感じですか？

    今度は舌で、右の後ろの方の、下側の歯の前の表面に触ってください。**舌を左へ動かして、下側で一番の左の奥まで行ってください。それから上側に移動してください。左から右へと、上側の歯を横切って移動してください。できる範囲で一番右の奥に着いたら、下に移動して、もう一度始めてください。2回、円のように動いてください。**この円の動きをさらに2回するところを想像してください。動きがもう少しスムーズになるのが想像できるでしょうか。**今度は実際にもう一度その動きをしてください。**今はどうですか？　ほんの少し止まってください。

    今度は方向を逆にしてください。もう4〜5回、円のように動いてください。止まってください。口を開いて、今はどんな感じか、感じてください。

これがこのモジュールの終わりです。一度でできない場合、ここでやめるのが妥当です。
ステップ9から再び始めてください。

---

9. **口を開いてください。**口を開くのは、今はどんな感じですか？

   口を開いて、舌を伸ばし、下唇の真ん中に触ってください。これを 5〜6 回、くり返して、毎回より柔らかく触るようにしてください。

   今度は舌で上唇の真ん中に触れてください。5〜6 回、くり返して、毎回もう少しゆっくりとやってください。止まってください。

   舌で口の右端に触ってください。5〜6 回くり返してください。この端に届かせるために、ほとんど舌を曲げていますか、それとも舌の根元から動かしていますか？

   口を開いてください。左右で違いがありますか？

   舌で口の左端に触ってください。5〜6 回くり返してください。止まって休んでください。

10. **口を開いて、舌を伸ばし、下唇の真ん中に触って、そこに少しの間とどまってください。**それから、右へ向かってゆっくりと舌を両唇の周りで動かし始めてください。それぞれの端へと移動するときの質感の違いに気づいてください。唇の周りを移動するときに、でこぼこや割れ目を感じますか？　5〜6 回くり返してください。

   今度は方向を逆にしてください。この方向では何が違いますか？　5〜6 回くり返してください。止まって休んでください。

11. **口を開いてください。**今はどんな感じですか？

   口の中の右下の隅で、楽に届く一番奥の歯の内側に舌で触ってください。舌を上へ動かし、上側の歯列を横切って、左の奥の方へ行ってください。それから下に下りて、右に戻ってください。この円のような動きを 4〜5 回くり返してください。この動きで、どのように舌が少し緊張してきたかに気づいてください。この動きをまだ柔らかく保っていられますか？

   今度は方向を逆にしてください。4〜5 回くり返して、止まってください。**口を開いてください。**今はどんな感じですか？

12.　今度は、舌で両唇の周りの動きを２～３回試してください。止まって方向を変えてください。３～４回くり返してください。

　　　口を開いてください。今回は、動きがどのように感じられましたか？　舌はどんな感じですか？

レッスンの終わり

第3章

支えの土台

足・脚の役割

足・脚は歌うための決定的な支えの土台

　足・脚 [訳注6] は、歌うことにとって決定的な支えの土台です。立っているときだけでなく、座っているときも同様です。明らかに、ジャンプして足を床から離したままでは歌うことはできません。でも、試しに席についているときに足を空中に浮かせたままで歌ってみても、非常に大きな緊張を生みます。ですから、この姿勢で歌ったり、歌うことを提唱したりする人はいません。

　最高の状態で歌うためには、足・脚は極めて重要ですが、その適切な使い方やケアには、あまり時間や努力が費やされてはいません。しかし足をうまく使うことを学ぶことで、最も即効的かつ最も簡単に、歌うことを著しく改善できることがよくあります。

　両足がしっかりと床についているとき、最大限の安定性と支えが得られます。この状況では体重がほぼ等しく左右の間で配分されます。ほぼ、というのは、体の左右両側を完璧に均等に使う人はいないからです。本当に、普通は左右で、重さ、広さ、肩の高さ、奥行きさえもいくらか異なります。なかには違いがあまりにも大きいため、左右の足で異なるサイズの靴が必要な人もいます。けれども、バランスが取れているときには、体重は左右の割合に応じてそれぞれの脚に配分されます。つまり片側がもう一方より2%大きいとすると、その脚は平均して2%多く体重を支えることになります。

---

［6］足・脚 foot, leg　英語では foot（足）は足首から先、leg（脚）は足首から股関節までを区別する。（訳者ノート P.178 のイラスト参照）

体重が均等に配分されない場合

体重が均等に配分されないときは、左右どちらかに寄りかかることになります。このため肋骨が片側で圧縮され、呼吸が弱まります。首もいくらか圧縮し、発声器官である喉頭にも悪影響があります。両脚の長さの不均等さが原因で体重配分が不適切になることはよくあり、しばしばすぐに見て分かります。というのも、そんな人は、長い方の脚をもう一方の脚より前に置くことで、体重を均等にかけようとするからです。

脚の長さの差異が0.6センチメートル以下ならば、自分をどう使うか、とくに背骨をどのように曲げるかによって、この比較的小さな違いを、緊張なく機能的に適応させることができます。2.4センチメートルまでの差異を適切に扱うには、持ち上げる必要があります。差異がもっと大きければ、足に合わせた靴が必要になります。脚を平行に置くか前側の脚を入れ替える人に対して、つねに同じ脚を反対の脚より明らかに前にして立つ人は、たいてい、はっきりと脚の長さが違います。この章の終わりの一節は、そういった脚の長さが異なる人たちに向けて書かれています。

自由に体重移動ができればバランスが良い

バランスは静的な現象ではなく、動的なことです。体重を移すときはいつでもバランスを保たなければなりませんし、もちろん動いているときもバランスを保たなければなりません。さもなければ、歩いたり走ったりスキーをしたりなどできずに倒れてしまうことでしょう。しかし、立っているときでさえも、私たちは常に体重を移しているのです。長い間動かないでじっと立っている人はいません、あの英国女王の近衛兵でさえも。

目標は、いつでも体重をどの方向へでも簡単に移せることです。体重を楽に移動できるとき、私たちは、安全でバランスがとれていると感じます。バランスがとれていないときはいつでも、胸郭が適切に支えられておらず、不安定な感じがします。そして、安全でないと感じるとき、私たちは固くなると同時に呼吸を止めます。その最終的な結果として、自分のパフォーマンスを低下させるのです。

体を緊張させれば不安定になり、パフォーマンスも低下

不安定だと感じるとき、転倒を避けるために緊張します。でも、まさにその緊張することによって、さらに不安定になります。もちろん、もし本当に倒れかかっているのなら、何かを掴むために体をこわばらせることが役立つことはよくあります。しかし、倒れかかっていないときにも、体をこわばらせたままでいるのは自滅的です。それにより、変化に対してよどみなく対応する能力が制限され、何度もバランスから外れることになります。

バランスから外れた状態では、私たちは直立を保ったり動いたりするために、筋肉を緊張させざるを得ません。残念ながら、それによって、パフォーマンスが自分の潜在的能力を下回ることになってしまいます。でも、より良いバランスでいることを学び、使う力が必要最

小限に近づくにつれ、より良く感じられてパフォーマンスも向上するのですから、良い機会でもあります。

どれくらいバランスを外しているかを知る方法

　本当にバランスがとれているかどうか、どうすれば分かるでしょうか？　転倒しそうだと感じるなら、明らかにバランスを失っています。しかし、良いバランスというのは、転倒しないことよりもずっと微妙なことです。私たちが少しバランスから外れていることはよくあって、余分な頑張りか、次善の調整によって埋め合わせします。脚の長さの差異を埋め合わせるために片脚を前にして立つのは、次善の調整の一例です。

　バランスから外れているか（あるいは、どれくらい外れているか）は、あらゆる方向にすぐに動くことができるかどうかを見れば簡単に分かります。もし片脚が前にあれば、すでにその方向には身動きが取れなくなっています。体を整え直さないことには、その方向でより遠くへ動くことはできないからです。ともかく前の脚を進めるためには、最小限度、体重を後ろの脚に移さなければなりません。静的な状態でどれだけバランスから外れているかは、ある方向に動くために、予備の体重移動をどれだけしなければならないかよって、正確に測ることができます。私たちはじっと固定されてはいませんから、これは一瞬ごとに変化します。私たちは生きている限り、つねに動き続けています（どれくらい動きが小さいとしても）。ですから、動的なバランスは極めて重要なのです。

動的なホームベース

　動的なバランスは、あらゆる方向へ簡単に行けるポジションを通って動くときに起きます。ホームベースとしての、あなたの中心的なポジションを考えてください。動的なバランスがとれているとき、ホームベースはどの方向にも簡単に動けるポジションです。動的なホームベースから出て行こうとするとき、そしてそこを通って戻ってくるとき、バランスがとれている感覚が得られます。

　次のレッスンは、動的なバランス感覚を確立し維持することがねらいです。

ATM：立ち姿勢でのバランス

1.　両足を肩幅に開いて立ってください。できれば靴を脱いでください。椅子か何か、支えになるものに手を置いてください。これはどんな感じですか？　バランスがとれていると感じますか？支えられていると感じますか？　**体重（骨盤）を左右に何度か移してください。**どれくらい均等にしましたか？　どれくらい簡単でしたか？

体重を前後に何度か移してください。止まってください。

2.　可能なら、右足を左足のまっすぐ前に置いてください。もし安定性を保つ必要があるなら、手を椅子の背もたれに置いてください。体重のほとんどを左足にかけてください。では、体重を左足の前側に移して、それから真ん中に戻してください。この体重移動を、少なくとも5回くり返してください。それから体重を左足の真ん中にかけたままで止まってください。

体重を左足の後ろ側に移して、それから真ん中に戻ってください。これを少なくとも5回くり返してください。止まって、少し間、両足の間で体重のバランスをとってください。

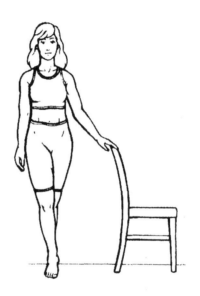

3.　体重のほとんどを左足にかけてください。体重を左足の前から後ろに移してください。これを7～9回くり返してください。どこで体重を移していますか？　以上の体重移動を何回か骨盤でやって、それから2～3回、足首に集中しながらやってください。何が一番あなたにとって良い感じですか？　止まってください。右足を左足に平行に置いて、少し休んでください。どちらの脚が、よりあなたを支えているように思えますか？

4.　右足を左足のまっすぐ前に置いてください。もう一度、必要なら、安定性を保つために手を椅子に置いてください。体重のほとんどを右足にかけてください。体重を右足の後ろ側へ移して、それから真ん中に戻してください。この体重移動を、少なくとも5回くり返してください。止まってください。

体重を右足の前側に移して、それから真ん中に戻してください。これを少なくとも5回くり返してください。止まって、少しの間、両足の間で体重のバランスをとってください。

5.　　**体重のほとんどを右足にかけてください。体重を右足の前から後ろへ移してください**。これを7〜9回くり返してください。これをどのようにやっているかに気づいて、少なくとも1つは別のやり方を試してください。右足を左足と平行に置いてください。

　　　2〜3回、前後に動いてください。これが今はどんな感じですか？　止まって少し休んでください。

これがこのモジュールの終わりです。一度でできない場合、ここでやめるのが妥当です。
ステップ6から再び始めてください。

6.　　**右足を左足のまっすぐ前に置いてください。左足に体重をかけてください。体重を左足の外側に移して、また真ん中に戻してください**。これを少なくとも5回くり返して、それから体重を真ん中にかけて止まってください。

　　　では左足に体重をかけてください。体重を真ん中から内側に移して、また戻してください。これを5〜7回くり返してください。両足を平行にして休んでください。

7.　　**右足を左足の前に置いてください。左足に体重をかけてください。体重を前に移動させ、それから体重をその足にかけて円を描いてください**。これを少なくとも5回くり返してください。あなたが選んだ向きに注意してください。これがどんな感じか覚えていてください。

　　　向きを逆にしてください。少なくとも5回、円を描いてください。これは反対向きと同じくらい簡単ですか？　私たちは普通、考えなくても一番簡単な道筋を選びます。やめてください。

　　　両足を横に並べて置いてください。骨盤を左右に2〜3回動かしてください。左右ど

ちらかへ行く方が簡単ですか？　少し休んでください。

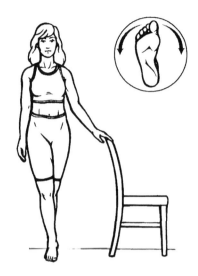

8.　右足を左足のまっすぐ前に置いてください。右足に体重をかけてください。体重を右足の内側に移して、また真ん中に戻してください。これを少なくとも5回くり返して、それから体重を真ん中にかけて止まってください。

右足に体重をかけてください。体重を右足の外側に移して、また戻してください。これを少なくとも4～6回くり返してください。両足を平行に置いて休んでください。

9.　右足を左足の前に置いてください。右足に体重をかけてください。右足にかけた体重で円を描いてください。少なくとも5回くり返してください。毎回、円がより丸くなるようにしてください。

向きを逆にしてください。少なくとも5回くり返してください。この円は、反対向きの円と同じくらい丸いですか？　やめてください。

両足を横に並べて置いてください。骨盤を前後に動かしてください。止まってください。これを始めたときと比べてください。左右に動いてください。これを最初にやったときと比べてください。少し止まってください。

これがこのモジュールの終わりです。一度でできない場合、ここでやめるのが妥当です。
ステップ10から再び始めてください。

10. 左足を右足の前に置いてください。もし支えが必要なら、椅子に手を置いてください。**体重を右足にかけてください。体重を右足の真ん中から前側に移してください。今度は体重を足の前側から真ん中を通って後ろ側に移し、また戻してください。これを 10 回くり返してください。**毎回、さらにゆっくり、ゆっくり行ってください。止まってください。

11. **右足に体重をかけてください。体重を右足の内側に移し、それから真ん中を通って外側に戻してください。足の内側から外側へ、行ったり来たりしてください。これを 10 回くり返してください。**毎回、この体重移動がより簡単になっていますか？止まって、両足を平行に置いて、少し休んでください。体の右側と左側で、どんな違いにでも気づいてください。とくに、左足と右足の違いに注意を向けてください。

12. **左足を右足の前に置いてください。左足に体重をかけてください。体重を左足の真ん中から前に移してください。次に、体重を左足の後ろに移し、それから前に戻してください。これを 10 回くり返してください。**左足の前と後ろの間で動きをしながら、どこで体重移動を感じるかに意識を向けてください。どのように体重移動をしているかに気づきながら、少し違うこともできるか試してください。止まってください。

13. **左足に体重をかけてください。体重を左足の内側に移動させ、それから真ん中を通って外側に戻しください。足の内側から外側へ行ったり来たりしてください。これを 10 回くり返してください。**これをするとき、どれくらい自分にやさしくなれるでしょうか。止まってください。

    両足を横に並べて置いてください。前後に動いてください。始めたときと比べてどうですか？止まって少し休んでください。どれくらいバランスがとれていると感じるかに気づいてください。これを始めたときと比べてください。

これがこのモジュールの終わりです。一度でできない場合、ここでやめるのが妥当です。
ステップ 14 から再び始めてください。

---

14. **左足を右足の前に置いてください。左足に体重をかけてください。左足の前側から後**

ろ側に、体重を２回移してください。止まってください。

今度は、左足の内側と外側の間で体重を２回移してください。止まってください。

左足にかけた体重を移動させて円を描いてください。この円の向きに気づいてください。７〜９回、円を描いてください。動きをするたびに、毎回より円らしく、あるいはより簡単にできるでしょうか。止まってください。

今やったのとは逆向きの円を描いてください。少なくとも6回、円を描いてください。止まって、両足を平行に置いてください。少し休んでください。

15. **左足を右足の前に置いてください。右足に体重をかけてください。体重を右足の前から後ろに、２回移してください。**止まってください。

今度は体重を足の内側から外側に、２回移してください。止まってください。

右足の上に体重をかけて円を描いてください。７〜９回、円を描いてください。止まってください。

今やったのとは逆向きに円を描いてください。少なくとも6回、円を描いてください。止まって、両足を平行に置いてください。少し休んでください。

16. 頭の上に板を置いていると想像してください。その板を落とさないようにバランスをとるつもりで、**頭も両足も動かさずに骨盤で円を描いてください。**５〜７回、円を描いてください。止まってください。

今度は逆向きに円を描いてください。少なくとも6回、円を描いてください。止まってください。今どれくらいバランスがとれていると感じますか。

体重を前後に何度か移してください。始めたときと比べてください。止まってください。

体重を左右に移してください。もう一度、最初やったときと比べてください。やめて少し休んでください。それから歩いて、どのように感じるか観察してください。ふだんの行動に戻ったときに、ときどき自分の体のバランスに意識を向けてください。

レッスンの終わり

床を使う

　体重が両脚で均等に配分されるべきであるのと同様に、それぞれの足でも体重が均等に配分されるべきです。つまり、体重のおよそ半分が前と後ろにかかり、およそ半分が内（親指）側と外側にかかります。ホームベースでの体重配分がどの方向に多すぎても、歌う声が歪んだり弱まったりします。

　足の前側に体重がかかりすぎると、過伸展の状態になります。また、前にのめって倒れるかもしれないという感じを抱きます。さらに、呼吸が弱まることで、よりか細い声になります（詳しくは「ハイヒール」の項参照）。

　もし体重があまりにも後ろにあり踵にかかっていれば、胸が骨盤の後ろにあるかのように、支えられていない感じがするでしょう。これにより、呼吸のために肋骨を開くのが難しくなり、声を前に出しにくくなります。

　もし内側に崩れる傾向がある（極端な偏平足）なら、お尻をきつく締めています。これにより肋骨を横に開くのがより難しくなるでしょう。首が引き伸ばされる感覚もあります。その結果、呼吸も喉頭も十分に開くことができなくなります。土踏まずを鍛えることで、内側に崩れる傾向が減るでしょう。土踏まずを鍛えるには、両太腿を一緒に保つ筋肉である内転筋の強化が助けになります。この章の最後にある太腿を鍛えるエクササイズは、内転筋強化に役立つでしょう。

　もし体重がかなり外側にあるなら、お尻がきつく締めつけられているでしょう。これにより、肋骨を背中側で開くことが難しくなります。

　次のレッスンは、体重が両足に、より均等に配分されるとどんな感じかが分かることを意図しています。また、座り姿勢での最も良い足の位置は（椅子が合っているなら）膝が足首の上にある状態だ、と感じられるでしょう。

ATM：両足から頭までのつながり

1.　　靴を脱いでください。椅子の前の方の端に、楽に座ってください。両足を体の前に置き、肩幅に開いてください。**右足の拇指球（親指の付け根のふくらみ）を床につけた**

ままにして、右の踵を床から2〜3回持ち上げてください。どれくらい簡単ですか？

今度は、右足の拇指球を数回持ち上げてください。これは踵を持ち上げるよりも簡単ですか、難しいですか？膝と足首の位置関係に気づいてください。**右足を前に動かして、足首が膝より前にくるようにしてください。**（もし膝から下へ線を引いたら、足首はその前にあることになります。）**踵と拇指球を、交互に数回持ち上げてください。**さっきと比べて、どちらの動きがより簡単ですか、どちらがより難しいですか？

今度は、右足を動かして足首が膝より後ろにくるようにしてください。踵と拇指球を交互に、1〜2回だけ、とてもゆっくりと持ち上げてください。拇指球を持ち上げるのは、かなり難しくなりましたか？

今度は、足首が膝の下に来るまで右足を前に動かしてください。拇指球と踵を交互に持ち上げてください。この位置で上げ下げするのは、他の位置よりも簡単ですか？

両方の動きにとって一番良い場所を見つけるまで、右足を少し前後に動かしてください。それはどこですか？　右の膝と足首の関係を、左の膝と足首の関係と比べてください。止まって、左右の足がどのように並んでいるか、あるいはどれくらい左右でずれているかに気づいてください。（ここまで右脚でだけ、踵から爪先まで体重を移動するのに一番良い場所を探ってきましたから、左右の足の位置がかなりずれている可能性が高いです。今、床との接触が左右の足でどのように異なるかに注意を向けてください。）

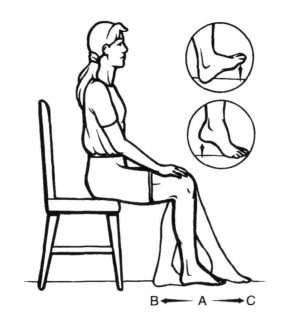

B ← A → C

2.　　今度は左踵を何度も持ち上げてください。

　　　それから左足の拇指球を何度か持ち上げてください。左足を少しずつ前後に動かして、いくつかの異なる位置で、踵と拇指球を交互に持ち上げてください。組み合わせた動きが一番簡単に思える位置を見つけてください。この左足が置かれた場所を、右足と比べてください。

3.　　右足と左足を交互に、それぞれの足で踵と拇指球を持ち上げてください。これを4回やってください。体の左右の側をどのように感じるか比べてください。立って少し歩いてください。

これがこのモジュールの終わりです。一度でできない場合、ここでやめるのが妥当です。
ステップ4から再び始めてください。

4.　　椅子の前の端に座って、この前のモジュールの終わりに両足がどこにあったかを思い出してください。それぞれの足で踵と拇指球を交互に数回持ち上げて、これがまだ比較的簡単に感じられるかどうか調べてください。もしそうでなければ、脚の位置を調整してください。

5.　　今度は左足の内側を、ゆっくりと何度か持ち上げてください。それから右のお尻を持ち上げてください。この動きをやさしく、3〜4回くり返してください。

　　　では左足の内側を持ち上げることを探ってください。さっきよりも簡単ですか？

　　　左足の内側を持ち上げるときに、右のお尻を持ち上げることも加えてください。これを3〜4回やってください。それから、また足の内側だけを持ち上げてください。ゆっくりと椅子の後ろの方に座って、両足がどのように床についているか比べてください。

6. また椅子の前の方に来て、右足の内側を数回持ち上げてください。頭はどうなりますか？

今度は、右足の内側を上げるときに、左のお尻を何度か持ち上げてください。今は頭の動き方で何に気づきますか？

それから（左のお尻は持ち上げずに）右足の内側を持ち上げてください。止まって、体の左右の側を比べてください。

7. 左右のお尻を、ゆっくりと交互に持ち上げてください。これを、5〜6回くり返してください。

それから左右の足の内側を交互に5〜6回持ち上げてください。止まって、両足がどのように床についているかに気づいてください。

少しの間、立って、どんな感じがするかに意識を向けてください。では少し歩いてください。

これがこのモジュールの終わりです。一度でできない場合、ここでやめるのが妥当です。
ステップ8から再び始めてください。

8.　椅子の前の端に楽に座ってください。**それぞれの足の踵と拇指球を2〜3回、交互に持ち上げ、動きの簡単さと足の位置を調べてください。**この前のモジュールを思い出してください。それぞれの足の内側を持ち上げたことを思い出してください。

もう一度交互に、まず左のお尻を、それから右のお尻を、4〜5回持ち上げてください。

9.　**右足の外側を6〜8回持ち上げてください。**これをするとき、骨盤に何が起きますか？　頭はどうなりますか？（メモ：何人かの人は頭を少し左に動かすでしょうし、右に動かす人もいるでしょう。**正しいやり方はありません。**ただ関係性に注意を引きたいのです。）

右足の内側と外側を交互に5〜6回持ち上げてください。後ろの方に座って休んでください。そうしている間に、左右の側を比べてください。

10.　椅子の前の方に来てください。**今度は左足の外側を、6〜8回持ち上げてください。**これをするとき、骨盤に何が起きますか？　頭に、右足の外側を持ち上げたときと同じ影響を感じますか、それとも逆ですか？

今度は左足の外側と内側を、交互に何度か持ち上げてください。両足が、今は床に対してどのように感じられますか？　椅子の上でどれくらい体のバランスがとれていると感じますか？

立って、この感じに気づいてください。少し歩いてください。どんな感じですか？

これがこのモジュールの終わりです。一度でできない場合、ここでやめるのが妥当です。
ステップ11から再び始めてください。

11.　椅子の端に楽に座ってください。それぞれの足で、踵と爪先を交互に持ち上げたことを思い出してください。**それぞれの動きを何度かくり返してください。**

今度は左右のお尻を交互に2回持ち上げてください。今はそれがどんな感じですか？

右足の内側と外側を4回持ち上げてください。止まってください。

今度は左足の内側と外側を3回持ち上げてください。止まってください。

12. ゆっくりと右の踵を持ち上げてください。踵を下に下ろしたとき、右足の内側を上げてください。その足の内側を下に下ろしたとき、拇指球を持ち上げてください。今度は拇指球を下に下ろしたとき、右足の外側を持ち上げてください。今、結果として、右足で床に対して円を描いたことになります。このやり方でゆっくりと、少なくとも4回、円を描き続けてください。動きをもっと簡単にすることはできますか？もしかすると、円をより小さくすれば、より簡単になるかもしれません。

では向きを逆にしてください。少なくとも4回、ぐるっと行ってください。この円を描くとき、お尻で何が起きていることに気づきますか？頭の位置に、何かこの動きの影響を感じますか？　やめてください。左右の足が床に対してどんな感じか比べてください。どちらかの足が、より背中や頭とつながっていると感じられますか？　休んでください。

13. 椅子の前の方に来てください。今度は左足で円を描き始めてください。自分の選んだ向きに行ってください。円を1回描くごとに、少し止まってください。それから、次の円を描くときに、大きさか、頑張りか、速度のどれかを変えてください。大きさと頑張り、速度と頑張りは、どう関係していますか？　少なくとも5回、円を描いてください。もしもっと速く行くなら、注意力はどうなりますか？

今度は向きを逆にしてください。楽にゆっくりと行って、この円を頑張らないで描くようにしてください。頑張りが少なくなるにつれ、多かれ少なかれ、あなた自身がこの動きに関わっている感じがしますか？　全身が動きに関わっていると感じたら、さらにもう1回円を描いて、やめてください。今は、両足が床に対してどのように感じられますか？　椅子にどのように座っていますか？　足が頭を支えるやり方に対する感覚が変わったと感じますか？

立ち上がって、少しの間、歩き回ってください。今はどんな感じかに気づいてください。始めたときと比べて、今は歩くのがどれくらい楽ですか？　今は歩くときに、どれくらい両足を感じられますか？

ハイヒール

　厚底または高くて細い踵の靴を履くと、呼吸が弱まり、声がよりか細くなります。

　踵が足指よりも 2.5 センチメートル以上高いと、踵を過度に高くしていることになります。踵がこの高さにあると、背骨の位置が歪められ、過伸展（脊柱前湾）状態に陥ります。お腹が前に押し出され、胸は後ろに、顎先が上がり、発声器官である喉頭がわずかに後ろに行きます。その結果、体の内部では声の通り道が狭まり、息が通りにくくなります。

　これを自分自身で感じることができます。裸足で立って、どのように呼吸しているか、また喉の楽な感覚に気づいてください。今度は、心地よくできる範囲で高く爪先立ちしてください。踵を下ろしていたときと比べて、喉の楽な感覚はどうですか？　呼吸はどれくらい自由ですか？

　一般的に、踵が高ければ高いほど歪みは大きくなりますが、高くて細いヒールは厚底の靴よりも不安定ですから、さらに良くありません。過伸展に陥るだけでなく、バランスを保てるかどうかも疑問です。ですから、ハイヒールは可能なときはいつでも避け、どうしてもハイヒールを**履かなければならない**ときは、できる限り低くして、細いハイヒールではなく厚底の靴を履くようにしてください。

脚の長さの差異

脚の長さが異なると筋肉組織が緊張する

　精密な計測装置があれば、脚の長さが同じ人はいないということが分かるでしょう。実際、ほとんどの人には、少なくとも0.15センチメートルの差異があります。無症候性の100人の兵士に関するある研究では、71人に少なくとも0.15センチメートルの脚の長さの差異があり、33人には少なくとも0.5センチメートルの違いがありました。5歳から17歳までの学童1,446人を対象とした研究では、80パーセントの子どもに、少なくとも0.15センチメートルの差異がありました。（脚の長さの違いについてのより完全な議論は、Travell and Simon 1983,1:104-8 参照）。

　脚の長さがより短いと、筋肉組織に緊張を強いることになります。というのは、頭と肩を水平に保つために、体の並びの中に生じた歪みを、筋肉が修正しようとするからです。他にも、脚の長さの違いを補正するために、仙骨を骨盤の残りの部分に対して傾けたり（仙腸関

節でのずれ）、背骨に横への急な角度をつけたりすることがあります。これらの要因と、人間の有機体としての総体的な適応能力のため、0.63センチメートル以下の違いは痛みを作り出すほど機能的に重大とは見なされません。

脚の長さの差異と痛みに関する実験

　私たちは、重大な差異を不快感なく適応させることができます。脚の長さの差異と痛みについては、数多くの調査がなされてきました。

　トラベルとサイモンによれば、差異の補正能力を妨げる外傷的な出来事がなければ、1.3センチメートルの差異なら一生痛みの症状は出ないかもしれない、とのことです。脚の長さの差異によって仙腸関節と背中に緊張が生まれるため、脚の長さが違うと腰痛が起きることはよくあります。ひとたび痛みの問題が生じたら、0.5センチメートル以上の差異では問題がずっと続く可能性があります。443人の腰痛患者についてのある研究は、0.6センチメートル以上の差異は踵を持ち上げて修正されるべきだ、と結論づけています。

　他のある実験では、痛みのない正常な個人に、左の靴の踵に1.9センチメートルの上げ底をしました。3日目に被験者は、お尻に痛みを感じました。3週間後には、背中とお尻に定期的な夜間痛を覚えました。上げ底を取り去ったところ、その症状は2週間後に消えました。

　　　グロスが、症状に関わらず、短い脚の患者のグループに質問したところ、差異が1.4センチメートル以下の人たちは脚が短いことを問題と認識しておらず、上げ底もつけず、バランスの悪さも感じないことが分かった。しかしながら、差異が2.0センチメートル以上ある人々は、これらの質問すべてに肯定的に答えた。……

　　　私たちの経験では、症状がない場合でも、1.3センチメートル以上の脚の長さの相違を修正することは、予防的な価値がある。……計測を繰り返したとき、ある腰痛の患者にいつも0.5cm以上の差異が見られる場合は、その差異を修正するべきである。

(Travell and Simons 1983,1:106)

　興味深いことに、成長期の子どもの場合、もし脚の長さが一時的に均等になれば、1.9センチメートルまでの脚の長さの差異は消える傾向があります。

　歌い手にとって、これは何を意味するでしょうか？　明らかに、痛みにつながる脚の長さの差異は上げ底で修正するべきです。痛みは呼吸を妨げ、声のパフォーマンスを低下させます（人生を惨めにするのと同様に）。では、痛みがない、より小さな差異についてはどうでしょうか？　適応させる方法の1つは、長い脚を前に置くことです。これが、多くの歌手がこの姿勢を好み、安定感を感じる理由です。他には、わずかに踵を上げて、それが声のパフォーマンスと心地よさを助けるか、妨げになるかを実験してみることです。実際に脚の長

さの差異の影響と声について研究した人はいませんから、何があなたにとって正しいかを見つけるまで、実験することをおすすめします。

簡単なエクササイズ：内転筋を強化する

　ベルトと10〜15センチメートルのしっかりしたクッションを用意してください。クッションを両太腿の間に置きます。ベルトを直径30センチメートルくらいになるように調整して、両足首にかけてください。クッションに内向きに圧をかけ、同時に足首で外に向かって押し広げてください。これを約10秒間行ないます。30〜60秒間リラックスして、また2,3回以上繰り返します。もしこれを楽しめるなら、1日に数回やっても構いません。内転筋が強化されるにつれ、10秒間が短すぎると思われたら、圧をかけている時間を長くするか、もう少しきつめに圧をかけても構いません。

第4章

意図的であることと、頑張り

意図

意識の仕事は意図を明確にすること

　モーシェ・フェルデンクライスの金言の1つは、「意図がはっきりしていれば、意図した結果に到達するだろう」というものです。もちろん、もし自分が何を意図しているかを知らなければ、決してそれを得ることはできません。もっと重要な理由は、意図を明確にすることが、私たちの概念的な意識（思考プロセス）の働きだからです。それによって、意図することに関して明確な選択ができ、私たちはしようとすることを達成できるのです。

　しかしながら、概念的な意識は一時に1つのことしか扱うことができません。たとえば、自分のシャツの色と、朝食で食べたものについて、同時に考えてください。できますか？それとも、それらが順番に意識に上ってきましたか？　けれども、機能するためには、呼吸する・脈拍を打つ・腕を動かす・脚を動かすことなど、多くのことをしなければならず、その多くは同時になされなければなりません。そのなかには意思的にコントロールできることも、できないこともあります。しかし、どんなときでも私たちは主に、いわば自動操縦で動かされています。その上、私たちが受け取る情報のほとんども、私たちの概念の意識外で処理されます。

　私たちの意図が明確なときは、すべてこの自動的な機能が意図実現を容易にしてくれます。もし意図が明確でなければ、他の可能性が邪魔をして、私たちはしばしば失敗します——ですから、はっきりした意図が重要なのです。

意識的コントロールの難点

　実のところ、研究によれば、私たちがすることのほとんどは、どうしても思考抜きになさ

れなければなりません。意識的コントロールには難点があるからです。

　私たちの脳の多くの構造のうち、ただ一つ大脳皮質だけが、私たちが思考と筋肉組織の随意コントロールと考えるものと関係があります。しかし、思考と行動の関係を理解する上で、構造よりも重要なのは、「情報の流れ」です。

　情報の流れは1秒間に何ビットと測定されます。1950年代後半の調査では、意識的な感覚知覚のプロセスの情報の流れは、最大で1秒間に約40ビットであると結論づけられました。その一方で、私たちが外部受容器から受け取る情報は1秒間に1100万ビットを超えており、そのうちの1000万ビットは目から入ります。その上さらに多くの情報が、前庭システム（バランスを保つ）や固有受容器（見なくても体のある部分の位置が分かる）といった、他の感覚手段を通して流れ込んでいます。全体的に見て、私たちが気づいているのは、流れ込んでくる情報のうちの、およそ100万分の1なのです。

　情報の流れは意識の帯域幅または容量として説明されます。意識的コントロールの難点は、流れ込んでくる情報に比べて、意識の帯域幅が非常に狭いことです。それはまるで、叙事詩で華やかに勢揃いした、おびただしい数の登場人物のうちの、ただ1人の俳優の顔をドラマチックに照らすスポットライトのようなものです。もちろんスポットライトは動かすことができますが、すべての俳優を照らし出すには膨大な時間がかかるでしょうし、それまでに全員が立ち位置を変えてしまっているでしょう。

　意識的なコントロールの別の難点は、意識の帯域幅が狭いだけでなく、伝達に0.5秒の遅れがあることです。ということは、意識的なコントロールに頼るとき、あなたは過去の情報に反応していることになります。会話などの多くの場合は問題ありませんが、一瞬を争う状況では、もし意識がいつも担当しているとしたら誰も生き残れないでしょう。でも実際にはそうではなく、このような状況では、私たちは非常に素早く反応することができます。なぜなら、明確な意図が形成されると、意識的な自己を手放し、ただ反応するからです。（情報の流れと意識における時間の遅れについて、より詳しくはNorretranders1998参照。）

意図を絞れば、脳が適切に実行してくれる

　もちろん、明確な意図を実現するためには、自分が今何をしているかを知らなければなりません。フェルデンクライスの別の金言は、「自分が何をしているかが分かれば、望むものを得られる」というものです。ですから、望むことをするためにやる必要があることは何かを知り、それを学ぶことが重要です。

　同じくらい重要なことは、知る必要がないことは何かを知ることです。「自分が何をしているかを知る」とは、しているすべてのことに気づいていることだと考えがちですが、それは不可能です。また、私たちが「意図すること」ではなく「すること」に過度に注意を向けてしまうことにも陥りがちです。

　私たちの動きを整え、もうそれについて考える必要がないようにしてくれる脳の能力は、

まさに驚異的です。たとえば、私たちは歩くという単純な行動を当然のことと思っていますが、どれくらい正確にそれを行なっていますか？　どの筋肉群をいつ動かしていますか？その問いへの答えを学術的に知ろうとすれば、この単純な動作の研究に膨大な時間を費やさなければならないでしょう。

　これはすべてに当てはまりますが、最も単純な行動にこそ当てはまります。私たちは、今起こりつつあるすべてのことに気づいていることはできません。むしろ意図を絞り、適切に機能して実行してくれる私たちの内なる感覚に頼らなければならないのです。

頑張り

やり過ぎの状態を頑張りと呼ぶ

　何かを上手にするには練習と努力が必要ですから、私たちはよく「もっと練習しなさい」あるいは「もっと一生懸命やりなさい」と言われます。しかし残念ながら、あまりにも長く練習し過ぎたり、あまりにも一生懸命やり過ぎたりすることがあります。この一生懸命やり過ぎることを、私たちは**頑張り**と呼んでいます。

　緊張が繰り返されることで起きる怪我の多くは、練習を長くやり過ぎた結果です。また、あまりにも一生懸命やり過ぎることもあります。

　もちろん、ときには何かを成し遂げるのに必要なことは、あと少しの努力だったりしますから、さらにもう少し頑張ろうとする傾向があります。残念ながら、そんなとき、私たちは体を緊張させることがあまりにも多いのです。

　それは、ギターの名人が1本しか弦がないギターで弟子に教える、という古いお話に似ています。弟子が師匠に、弦が1本しかないギターでどうすれば学べるか尋ねたところ、師匠は「どんな音がするか見てみなさい」と答えました。弟子が爪弾いても、何の音もしません。「弦が緩すぎて、音が鳴りません」と弟子が言うと、師匠は楽器を調整して弟子に返しました。弟子が爪弾くと、今度はきつ過ぎてキーキー鳴ります。弟子がそう言うと、師匠は「では、ちょうど良くなるまで調整しなさい。そうすれば、どうやって弾き始めればよいかが分かるだろう」と言いました。

「やる」VS「やろうとする」

　実際のところ、「やろうとする」ことと「やる」ことの間には、重要な違いがあります。「やろうとする」ことは、何かを成し遂げるために努力することであり、「やる」ことは、何かを成し遂げることです。本当の意味では、私たちがある課題をやろうとするとき、本当はそれができると思っていないことを認めているのです。もしそれができると感じていたら、私たちはただやるでしょう。それは要するに、努力が停滞した状態です。

これを説明するために、私たちは一度、面白い実験をしました。ある生徒に歩こうとさせたのです。彼女が前へ実際に動き始めると、「あなたは『歩こうとしている』のではない、『歩いている』のだ」と言われました。彼女が動く限り、彼女はやはり歩いていたのです。彼女が立って動かず、それでもなお動こうとするかのように努めたとき初めて、彼女は本当に「歩こうとして」いたのです。もちろん、そのような非生産的な努力は有害です。

頑張り感のない努力

それでは生産的な努力とは何でしょうか？

不思議なことですが、それは禅の用語である「頑張り感のない努力 (effortless effort)」が一番うまく言い表しています。つまり、力が自然に引き出されて、物事が達成されつつあるのです。しかし、そこには無理に頑張っている内的な感じはありません。むしろ、ただやっていて、普通の呼吸のように自然に起きるのです。

この現象は「フロー（流れ）」「最高の状態にある」「無意識」とも呼ばれます。その状態に意志的に入ることはできませんが、そのために準備することはできます。私たちのすることをどのようにするか、に意識を向けることによって。また、それをするための、より簡単で楽で効果的な方法を探すことによって。

力と潜在能力

習慣になっている筋肉的な頑張り

また別のタイプの努力もあります。私たちがあまり気づかない、習慣的な頑張りです。どんな姿勢や動きでも、絶対に最小限の頑張りと緊張は必要です。といっても、私たちは完全ではありませんから誰も最小限でできる人はおらず、多かれ少なかれ最小限に近づくことができるだけです。

とくに、私たちはみな、習慣的な姿勢において過剰に筋肉的な頑張りをしています。達成しようとするときや何かをした後で、それを行なうために体に生じた緊張すべてを解かないとき、知らないうちに過剰な筋肉的頑張りが習慣になってしまいます。1つか2つの課題だけを繰り返し行なう場合、この過剰な緊張はとくに問題です。

筋肉ができるのは「緊張」と「弛緩」の2つだけ

緊張を筋肉レベルで見てみましょう。筋肉は、基本的に「緊張 (tighten)」と「弛緩 (relax)」の2つのことしかできません。筋肉がその潜在的な長さに対して長ければ長いほど、筋肉はより緊張することができます。ですから、習慣的に緊張している筋肉は、その潜在能力のうちのいくらかを、すでに失っていることになります。

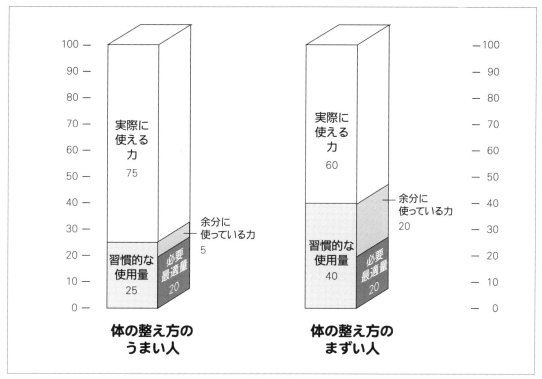

[図 4.1]

　筋肉を「長くする」ことと「引き伸ばす（ストレッチする）」こととは、大きく異なります。

　緩んだ筋肉の中では、細い繊維は、大部分は太い繊維よりも筋束の中心から遠いところにあります。筋肉が収縮するとき、細い繊維は中心に向かって動きます。長くされた筋肉の中では細い繊維は緩んでおり、筋肉が緩んだ局面にあるとき緊張した感じはまったくありません。それに対し、ストレッチされた筋肉では、筋肉に引っ張っている、または引き伸ばしている感じがあります。そして実際、ストレッチされた筋肉が神経系に送った信号を、神経系は、筋肉があるべき状態よりも長くなり過ぎていると解釈し、筋肉に収縮するよう信号を送り返します。つまり、筋肉をストレッチすると、むしろ結果的に筋肉は縮むのです。

　ですから、最大限の潜在能力に達するためには、筋肉は長くしておきたいものです。このためフェルデンクライスの教師は、筋肉をストレッチすることを考えるのではなく、筋肉が長くなることができるように、神経系を通して筋肉的な抑制を緩めようと考えるのです。

体の整え方がうまい人、まずい人

　習慣的な緊張は、私たちのパフォーマンス能力を低下させます。これを、動きの可能性を維持するのに必要な筋肉の張りと混同してはいけません。重要な筋肉の張りがまったくない人はひどい姿勢であり、きちんと座ることができませんし、ましてや動くこともできません。

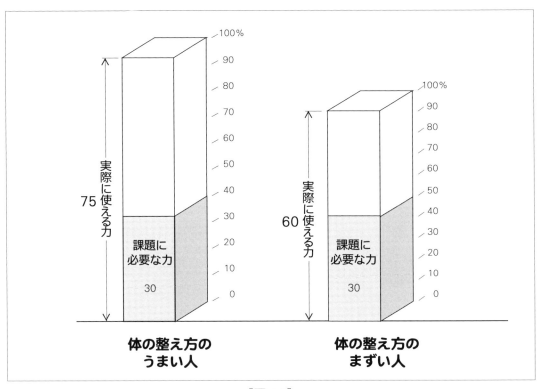

[図 4.2]

習慣的な緊張がいかに私たちの達成能力を損なうかを、例を挙げて説明しましょう。

　特定の筋肉群の潜在能力を100とします。この筋肉群が最適の度合いで使われている場合、トーヌス（筋肉張力）を維持するために、つねに20の力を使わなければならないとします。もちろん、誰もまったく最適というわけにはいきません。上手に自分を整えて体をうまく使える人なら、5の力を付け加えるだけで済むところが、もし自分の整え方がまずければ、さらに20の余分な力を使うとしましょう。[図 4.1]

　ご覧のように、自分をうまく整えられていれば、潜在能力のずっと多くを、したいことをするために使うことができます。このように、自分をうまく整えている人が使っている力が25であるのに対し、整え方のまずい人は40の力を使っています。そうすると、潜在能力のうち使える力（＝潜在能力全体－習慣的な緊張分）は75対60となります。ということは、自分をうまく整えている人は、整え方のまずい人の能力を超えて課題を遂行することができる、ということです。整え方のまずい人が、無理に自分の能力を超えて、怪我の危険を冒さないかぎりは。

　また、どんな課題も、その人の神経系がうまく整えられていれば、達成するのはずっと簡単だということも分かります。したがって、ある課題に30の力が必要だとすると、まずい整え方の状態では、使える能力60のうちの半分を費やすことになります。でも、その人がうまく整えられているときには、使える能力のうち、たった40パーセントで課題が達成で

きます。[図4.2]

　例が示すように、体がうまく整えられていれば、潜在能力のより多くを、私たちが望むことをするのに使うことができます。こうしてどんな課題もより容易に達成できるようになり、また怪我の可能性は大幅に減るのです。

良い整え方には協調とタイミングも重要

　ひょっとすると、この例から、「力を増やせば、まずい整え方の埋め合わせができるだろう」と思われるかもしれませんが、それは2つの理由により、全面的に正しいとは言えません。まず、必ずしも適切な筋肉組織を鍛えられるとは限らないからです。また第二に、良い体の整え方は、筋肉のリラックスだけでもたらされるのではないからです。

　良い整え方には、協調（coordination）と適切なタイミングも含まれます。歴史的に見ても、線路の敷設などの重労働をするとき人々はよく歌を使ったものですが、それは、呼気で力を発揮することと、一丸となって働くことの両方を確実にするためでした。息を吐くときに力を発揮することによって、人々は力と梃子の作用を最適に使ったのです。

　体がうまく整えられている人は、体を維持するための頑張りがずっと少なくて済むので、優美に動きます。その上、うまく整えられているとき、まるで頑張りがないかのように見えます。つまり物事は、実質的には意図から直接起きるのです。

可逆性の原理

　良い動きと位置取りの重要な側面の1つは可逆性[訳注7]です。フェルデンクライスは武術（柔道）が背景にあるため、可逆性の重要性を確信していました。

　たとえば、もしある動きを始めて、完全に身動きが取れなくなり終わらせるしかなくなったら、不意打ちに弱くなります。せいぜい今までしたことを部分的に元に戻さなければなりませんが、遅れることになります。最悪の場合、負けます。同じ理由により、立ち位置は左右対称であるべきです。もし立ち位置が左右非対称であれば、少なくとも1つの方向に動いたり抵抗したりすることができなくなります。たとえば、もし右足を前にして立てば、左に素早く動くことができず、右後ろから左の方向へ前に押されるのに抵抗することができません。

---

［7］**可逆性の原理 reversibility principle**　ある動きを始めたとき、どの瞬間にでもその動きを止めることができ、そこから楽に動きを再開できたり、止めた地点からその動きを自由に逆戻しにできたりするならば、それを「可逆性がある」（リバーシブルである）と言う。フェルデンクライスは柔道が背景にあるため、可逆性の大切さを確信し、良い動きと良い位置取りには必ず可逆性があると信じていた。

全体は各部分の合計ではない

　頑張りによって引き起こされる問題は、響き全体や演奏のことを考えるときに初めて現れます。

　基本的に、もしあなたが余分な頑張りをしているなら、可逆性の原理に反していることになります。たしかに意図することを達成するかもしれませんが、しかしその時点で、あなたは次の動き（歌い手ならば次の音）のためのポジションから外れているのです。

　この一例が、「より豊かな」［イ］の音を作るために唇をすぼめることです。これは役に立つかもしれませんが、それだけのことです。しかし、そのすぐ後に他の音を出そうとするときには、適正なポジションを外れています。具体的に言うと、顎が前に押されてわずかに緊張しています。私たちはこの実験を、唇をすぼめて許容範囲の［イ］の音が出せる生徒と行ないました。しかし、彼女は［エ］や［ア］の音に滑らかに移行できませんでした。彼女は基本的にポジションから外れてしまっていたのです。

軟口蓋を持ち上げる VS 軟口蓋が持ち上がっている

　軟口蓋を意図的に持ち上げるというのは、よくある練習です。一般的に、良い歌い手が歌うとき、軟口蓋は自然に持ち上がっています（特に高音域で）。でも、良い歌い手はわざとこれをしているのではありません。「自然に」そうなっているのであり、だからこそ、余分な頑張りをしていないのです。

　何人かの声楽教師はこの現象を観察して、「軟口蓋を意図的に持ち上げるように指導すれば、歌い手の助けになるだろう」と結論づけました。けれども、軟口蓋をわざと持ち上げると、それが自然に起きるときと比べ、余分な筋肉を働かせ、より頑張らなければなりません。したがって、可逆性の原理を考えるなら、このように持ち上げると、たとえ高音域では役に立ったとしても、全体の音は損なわれます。わざと持ち上げると、いくつかの音が歪んでしまうことは避けられないのです。

　ですから、「自然な」歌い手にとっては、「軟口蓋は歌っているときに上がっている」のに対し、軟口蓋を意図的に持ち上げることを習った人は「軟口蓋を持ち上げながら歌う」と言えるでしょう。こんな笑い話が、意味論的な違いに見えることを明らかにしてくれるかもしれません。

　2人の修道士が隣り合った修道院に住んでおり、どちらも喫煙者で、毎夕、修道院の門の外で会っては煙草を分け合っていました。ある日、喫煙と祈りを同時に行うのは適切かについて議論になり、さんざん討論した後で、それぞれの大修道院長に尋ねることにしました。次の夕方、落ち合ったとき、1人目の修道士は、「うちの大修道院長は、そんなことは絶対に許されない、とおっしゃった」と言いました。2人目の修道士は驚いて、「何と言って大

修道院長にお聞きになったのですか？」と尋ねました。1人目の修道士が「お祈りしながらタバコを吸っても構いませんか、と尋ねました」と言うので、2人目の修道士は言いました。「あぁ、それは問題ですよ。私は、タバコを吸いながらお祈りをしても構いませんか、と尋ねました」。

「歌う」(そこでは、軟口蓋が持ち上がっているといった何かが起きている)ことと、「歌っている間に何かを起こす」ということには、内部的に大きな違いがあります。

意識できる帯域幅が限られているため、私たちがコントロールできることには制限がありますが、コントロールをやめて流れるような状態に入るときには、最もうまく機能できるのです。ふるまいをコントロールするという余分なことを積み重ねると、私たちの頑張り感が増し、流れに入っていく可能性が減ります。またそれによって、全身の緊張も増大します。これは単に、余分なコントロールの面から見たものですが、コントロールすることで音から音への移行がより難しくなるため、さらに緊張が生まれます。前にも述べたように、ふるまいをコントロールすることで最高のパフォーマンスをするのがより難しくなるだけでなく、不要な緊張が伴うことで、早い時期から声の悪化を招くことになるのです。

第5章

骨盤の力

骨盤

骨盤は力の源であり動きの中心

　骨盤（英語では「水盤」の意味）は、仙骨、腸骨、恥骨と坐骨からなる骨でできた輪で、内臓を支え、守っています。しかしながら、その最も重要な力学的機能は、頭、上体、胴体を支えることであり、力強い筋肉群が骨盤とこれらのエリアをつないでいます。

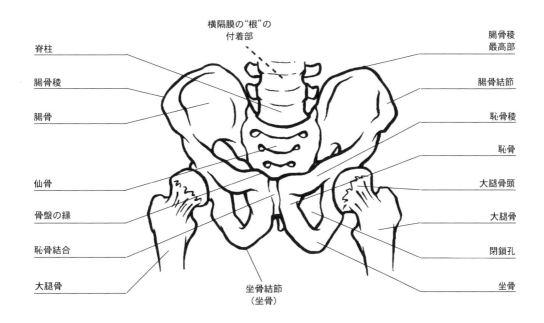

骨盤は力の源で、人体の中で最も力強い筋肉群があるところです。また、動きの中心でも

あります。日本人はこの部分を**ハラ（腹）**と呼び、それが武術における力と瞑想における集中力の両方を発達させる鍵だと感じています。

　簡単な実験でこれを説明しましょう。椅子に座って少し体を左に傾けてください。あなたは骨盤を使いましたか？　つまり、体重が右から左の坐骨に移るのを感じましたか？　この動きを上体だけでやってみてください。同じくらい簡単に体重を移動することができましたか？　同じくらい遠くまで行きましたか？　それとも、中心の何かがなくなったような感じがしましたか？　骨盤の中心性を感じられる別の方法は、戸口に立つことです。では、お尻とウエストを後ろに出して、体の後ろの端があなたの後ろの部屋にあるように立ってください。あなたが本当にいるのはどちらの部屋でしょう？　もしまっすぐ床に向かって倒れたとしたら、どちらの部屋にいることになるでしょう？　自分の中心が、実際にあなたの後ろの部屋にあると感じられますか？

　今はもう、あなたは骨盤の中心的な役割を感じられたのですから、その重要性を理解するのは簡単です。それなら明らかに、この力を使えれば使えるほど、自分の意図をより実行しやすくなるのです。

発声において、力の土台から力を発揮するとは

声のエネルギー源はどこか

　ブレイズ博士はしばしば、彼女と声楽の勉強を始めたばかりの生徒に、自分の体のどこに「声のエネルギー源」の中心を感じるか尋ねます。生徒は決まってまごついた様子を見せた後、さらなる情報を求めるかもしれません。それから彼女は生徒に歌わせますが、その際、声（つまり出た結果）にではなく、運動感覚的な力の源がある場所、あるいは「原動機」（つまり過程）にだけ注意を集中するように指示します。生徒の答えはさまざまで、横隔膜のエリアかもっと上の方で曖昧な手の動きをしながら「呼吸」という答えから、喉頭に向かうしぐさをしながら「発声器官」という答えまであります。しかし、いまだに「骨盤帯」さらには「両脚と両足」と答えた新しい生徒はいません。でも、それこそが実際は、厳密に構造的な観点からの答えであり、発声の観点からの答えでもあるのです。

骨盤は骨格構造の土台

　骨格は体の構造的な枠組みで、ちょうど鋼鉄の梁と桁から成る建物の枠組みのようなものです。建物と同様に、その枠組みは、うまく設計された土台によって構造的にしっかりとつくられています。人体では、その土台が骨盤なのです。

　マーベル・エルスワース・トッドは『The Thinking Body（考える体）』という素晴らしい著書の中でこう説明しています。

　人間の骨盤には3つの機能があります。脊柱から、頭、肩、胴体の重さ全部を受け、それを脚に伝えること。脚につながる胴体と、胴体につながる脚に、動きの手段を与えること。……頭、肩、胴体の重さは背骨を通して蓄積し、第5腰椎に集中して、仙骨にかかります。……［骨盤の］2つのアーチは重さを軸受けする骨盤に不可欠な部分であり、仙骨は……両方にとっての要石なのです。……このように、骨盤帯は一つながりの輪をかたちづくり、そのおかげで体の重さが伝わるにつれて、周囲全体に分散できるのです。

(Todd 1937, 113-15)

　なぜ骨盤の中心の重要性を認めることが、歌うことにとって、そんなにも重要なのでしょうか？

　非常にはっきりしていることですが、背骨は土台が骨盤帯にあり、しっかりと根ざした木のように骨盤から上へ伸びています。肋骨は背骨からぶら下がっており、木の枝々が樹幹から出ているのにそっくりです。効果的な呼吸の機能は、肋骨が自由に拡張収縮できるかどうかに完全によります。ですから、もし骨盤が適切な並びにあって支えられていなければ、ドミノ倒しのように影響が身体システムの残りの部分全体に波及し、声の可能性を十分に発揮する能力がかなり低下します。

　このことは、完全に効率的な立ち方をして、自分の構造的な支えの中心につながりたい歌い手にとって、非常に大きな影響があります。骨盤帯を構造上と軸上の中心と見れば、両脚がこの土台の下で支柱として働くよう設計されていることが容易に理解できます。よって明らかに、歌い手は骨盤の中心を十分かつ完全に下支えするように、脚・足を体の下に置かなければなりません。身体システムが適切な並びから外れ、バランスが悪くなるとき、緊張し疲労する結果となり、発声はひどく妨げられます。

「肩幅に開いて」立つのは正しいか？

　歌うのに適した立ち方と広く信じられ、よく歌い手がそうするように注意される、足を「肩幅に開いて」立つ立ち方はどうなのでしょうか？　これは一般的に、腕と肩がつながるところの輪郭（仕立屋が肩を測るところ）と解釈されています。この肩幅が、骨盤やその支えとどんな関係があるのでしょうか？

　実は、何の関係もありません。というのも、トッドによれば、「肩甲帯は2つの鎖骨と2つの肩甲骨から成り立ち、胸部の外側にあり、軸骨格にのっていて、**背骨と直接骨でつながってはいない**」からです。ですから、足をその幅で広げて立つとき、骨盤帯は**より支えられなくなる**のです。それはあたかも建物が、中心の梁がない状態で、遠く離れて立つ複数の柱で支えられているようなものです。足をあまりにも開き過ぎると、ある意味で骨盤底が、下へたわむことになります——そうすると、背骨には何が起きるでしょうか？　肋骨、呼

吸、声には何が起きるでしょうか？

　それでは、両足を肩幅に開くというこの考えは、どこから来たのでしょうか？　それは人体解剖学の**正しい**理解から来ています。骨格の絵を見れば、股関節が肩関節と一列に並んではいないことがお分かりになるでしょう。むしろ、いくらか内側にあるのです。ですから、両足から構造的な支えを得るためには、足を股関節よりも広く置かなければなりません。しかしながら、股関節（hip joint）というのは仕立屋があなたの腰（hip）を測るところ、つまり**腸骨稜**ではないことに注意してください。実際にはずっと下で内側にあります。

本当の肩幅とは

　同じように、本当の肩幅は仕立屋が測るところではありません。右腕を空中に持ち上げ、左手を右脇からまっすぐ上の右肩の上に置き、上げていた右腕を下ろしてください。左手はどこにありますか？　そこが、実際の右肩の先端であり、仕立屋が測るところから7センチ

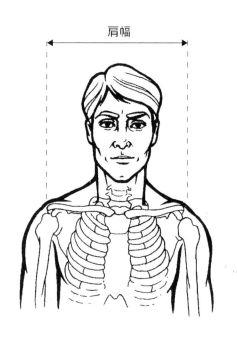

肩幅

メートルほども内側なのです！　この幅で立てば、体の下でしっかり支えてくれるように両足を置くことになります。言い換えると、この位置なら、構造的な重みがずれることなく、骨を通ってまっすぐ下りていくのです。残念ながら、あまりにも多くの教師や歌い手は、体の外側を見て、肩が腕の外側にあるとみなしていますが、実際には腕の方が肩の約7センチメートル外側にあるのです。この立ち方は明らかに広すぎます（それぞれの側で約7センチメートル広くなりますから）。両足をこのように広く開いて立つとお腹が前に押し出され、息が短くなると同時に、直立姿勢を保つのに余分な頑張りが必要になります。その結果、よりか細く、より不快な声になります。

片足を前に置く立ち方は？

　別の「定評ある」立ち方は、片足を反対の足の前に置く三脚の立ち方です。この立ち方は世代から世代へと受け継がれてきました。一見とても安定して力強く見えるかもしれませんし、実際に人口の15~25パーセントを占めています。それはこの人々が側湾症（背骨の異常な湾曲）であるか、両脚の長さが著しく異なる（1センチメートル以上）からです。体が構造的にこのような場合は、足を均等に置くと、ほとんどの体重を短い側にかけることにな

り、それによってそちら側の肋骨を圧縮します。長い方の脚を前に動かすと、体重の配分が均一になりますが、ほとんどの人にとっては、この姿勢は不快な背骨のねじれを生み、骨盤の中心を不安定にすることにもなります。また、骨盤の並びが悪ければ、可逆性の原理に反する（69 ページ参照）ことはもちろん、全体の姿勢や運動感覚的なシステムの至る所に重大な悪影響を及ぼします。

エネルギーの中心は、体の真ん中にある

　ブレイズ博士の新しい生徒に話を戻しましょう。その生徒が一度歌って、とりあえず「エネルギーの中心」の場所を選ぶと、ブレイズ博士は人体骨格の絵を取り出します。それから生徒に、体を横から見て、頭と足底の間で半分に分ける、ちょうど真ん中の点を特定するように言います。すると、すべての生徒が正しく骨盤帯を指しました。たとえその名前は知らなくても。そこからは、骨盤帯の重要性と機能や、骨盤帯と骨格の他の部分とのつながり、そして最も重要なことですが、歌うための効果的な呼吸に骨盤が決定的に関係していることを説明するのは、とても簡単です。博士は生徒にもう一度歌わせるとき、骨盤から来る力と中心性を運動感覚的に感じることだけに注意するよう言います。その結果は、聴き手にとっても歌い手にとっても、いつも明白です。より自由で、豊かで、楽で、感受性豊かな歌声が、前へ流れ出すのです。この最初の体験的な理解と運動感覚的な経験が、その後のすべてのワークの基本になります。

　次のレッスンは、力の中心としての骨盤につながる助けになることでしょう。

ATM：骨盤時計

　このレッスンは床の上で寝てやっても椅子に座ってやっても構いません。さまざまな状況で使いやすいように、椅子を使った場合の指示を載せています。床でレッスンをする場合は、仰向けで両脚を曲げ、足の裏を床につけて動きをし、休んだり体を調べたりするときは両脚を伸ばしてください。たまにこのレッスンを床でするのはおすすめです。よりパワフルであり、ポジションを変えることで機械的になる傾向が減ります。

1.　　しっかりした平らな座面の椅子に座ってください。椅子の前の方へ来て、両足がしっかりと床につくようにしてください。**骨盤を後ろへ傾けて、背中が丸くなるようにしてください。**それから元の位置に戻ってください。この動きをゆっくりと 5 〜 6 回くり返してください。

　　　　今度は背中を反らせるときに、骨盤を前へ揺り動かしてください。この動きを 5 〜 6

回くり返してください。

それからこの2つの動きを合わせます。4〜5回くり返してください。**とても重要な**
ことは、この動きをリードするのに**骨盤を使う**ということです。骨盤から揺り動かし
ていることが、はっきりしない状態で大きい動きをするよりも、はっきり分かってい
る状態で小さな動きをする方が良いです。

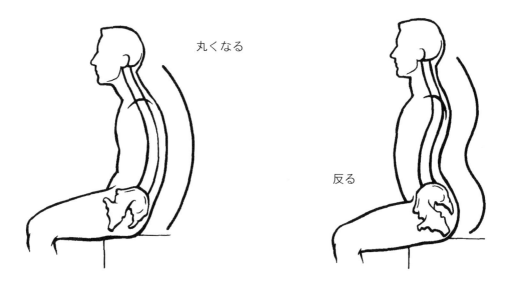

2. 　右のお尻をわずかに持ち上げてください。4〜5回くり返して、それから止まってく
    ださい。

    今度はその動きをくり返すときに、体重を左のお尻を通して下にかけることに集中し
    て、右のお尻を上げてください。4〜5回くり返した後で止まってください。

3. 　今度は左のお尻を持ち上げてください。これをするときに、体重を右のお尻を通して
    下にかけることに集中してください。5〜6回くり返してください。

4. 　左と右のお尻を交互に持ち上げてください。これを少なくとも8回やってください。
    骨盤がこの動きをリードするという感覚をもってください。左へ動く方が簡単です
    か、それとも右ですか？　くり返すにつれて、この動きがより均等になりましたか？
    止まってください。

    背中を丸くしたり反らせたりしてください。3〜5回くり返してください。前にやっ
    たときと比べて、どのように変わりましたか？

これがこのモジュールの終わりです。もしここでやめるなら、立つ前に少し間をおいて
　　ください。それから立って、変化に気づいてください。最後に少し歩いて、
　違う感じがするかどうかに気づいてください。ステップ５から再び始めてください。

5.　　椅子の前の方に座って、まっすぐ膝の下に足首がくるようにしてください。骨盤のあ
　　　たりに時計があると想像してください。(時計の文字盤の)６時がおへそから３センチ
　　　メートルほど下にあります。背中を反らせるときはそこを意識してください。12時
　　　はおへそより上で、背中を丸めるときはそこを意識してください。３時は骨盤の左側
　　　の方で、９時は骨盤の右側の方です。**時計を12時に合わせてください。では、時計**
　　　の文字盤のまわりを12時から３時まで、その途中の１時と２時を通って動いてくだ
　　　さい。それから、１時と２時を通って12時まで戻ってください。この動きをすると
　　　きには、１時と２時がどこにあるかを、はっきりと感じてください。４分の１の円を
　　　描いていることを、はっきり意識してください。もし丸いと感じられなければ、丸い
　　　と感じられるまで円を小さくしてください。この動きを少なくとも７回くり返しま
　　　す。この動きをするたびに、すべての時刻がはっきりと感じられるように、十分ゆっ
　　　くり行ってください。止まってください。

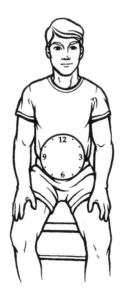

6.　　**今度は３時から６時へ行ってください。途中で４時と５時を通ってください。**これを
　　　５～７回、すべての時刻について、はっきり分かってくり返してください。

この動きを前の動きと合わせて、6時から12時まで、1時、2時、3時、4時、5時を経由して行ってください。これを3〜4回やって、それから止まってください。椅子の後ろの方に座って休んでください（もし床の上に寝ているなら両脚を伸ばしてください）。体の左側と右側を比べてください。

7.　12時から11時まで行って戻ってください。これを1回やり終わった後で、10時まで延長して（12時→11時→10時）、12時に戻ってください。12時から行って12時まで戻った後で、毎回1時間ずつ付け加えていくことを続け、6時まで行ってください。それから12時と6時の間を、7時、8時、9時、10時、11時経由で行ったり来たりしてください。この動きを5〜6回してください。もう一度、円を描く動きをしていることをはっきり意識してください。通り過ぎるときに、それぞれの時刻に注意してください。止まって左右を比べてください。

8.　12時から始めて3〜4回、時計の文字盤の周りを時計回りに行ってください。止まってください。今どのように座っていますか？　立って、自分がどれくらい背が高いかを感じてください。背中がどんなにうまくあなたを支えていますか？　両足にどのように体重が配分されていますか？

これがこのモジュールの終わりです。もしここでやめるなら、立つ前に少し間をおいてください。それから立って、変化に気づいてください。最後に少し歩いて、違う感じがするかどうかに気づいてください。ステップ9から再び始めてください。

9.　もう一度、時計回りの動きを12時から始めて、時計の文字盤の周りを行ってください。3回やった後で、向きを変えて4回、反時計回りに行ってください。どちらの方向がより簡単でしたか？　それぞれの時刻を通り過ぎるとき、それをどれくらい感じることができましたか？　止まってください。

10.　ゆっくりと時計回りに動いてください。それぞれの時刻に注意を払ってください。どこで動きが難しい、あるいは丸くないと感じますか？　これらの場所を覚えておいてください。どの場所が一番難しく、円らしくないかを感じてください。これらを心に留めておいて、時計回りの動きを3回くり返してください。止まってください。

反時計回りの動きを3回してください。もう一度、どこで動きがスムーズでないか、

あるいは円になっていないかに気づいてください。止まってください。

11. 今やったばかりの動きを思い出してください。スムーズで丸い動きをするのにどこが一番難しかったか考えてください。骨盤時計をその時刻に合わせてください—1:00、4:20、9:10など。**今度はこの場所から、それぞれの方向に1時間半の動きをしてください。**たとえば、もし難しい場所が1時ならば11:30から2:30へ、もし8:30ならば7時から10時へ、という具合です。この動きを4〜6回くり返してください。これは時計に油を差すようなものです。止まって、少し休んでください。

12. **時計回りの動きを3回して、それから反時計回りの動きをさらに3回してください。**今はどこがやりにくい場所かに気づいてください。さっき油を差した場所に何が起きましたか？

    今、一番やりにくいと思うところがどこであっても、前の指示でやったように、そこに油を差してください。止まってください。もう一度、時計回りの動きと反時計回りの動きを3回してください。やめてください。今どのように座っているかに気づいてください。背中や呼吸を感じてください。どんなに体がまっすぐかを感じてください。

これがこのモジュールの終わりです。もしここでやめるなら、立つ前に少し間をおいてください。それから立って、変化に気づいてください。最後に少し歩いて、違う感じがするかどうかに気づいてください。ステップ13から再び始めてください。

---

13. 椅子の前の方に座って、必ず膝の下に足首がくるようにしてください。**ゆっくり行って、できるだけ円になるようにして、時計回りの動きを2〜3回、反時計回りの動きを2〜3回してください。**これは今はどうですか？　何時にいるかがはっきりしていましたか？

14. 床の上で右足を左足の前に置いてください。この姿勢で時計回りの円を描き始めてください。3回やり終わったら、方向を逆にして、さらに3回やってください。足を戻して止まってください。今度は左足を右足の前に置いてください。

    もう一度それぞれの向きに3回、円を描いてください。それが円になっているかどう

かを感じてください。もし円でなければ、そうなるように調整してください。足を戻してください。やめて少し休んでください。

15.　両足の裏を合わせてください。**この姿勢で時計の周りを時計回りに行ってください。**これをするとき時刻に気づいたままでいられますか？　引っかかるところはありましたか？　3回くり返してください。止まってください。

　　　向きを変えて反時計回りに行ってください。3回くり返してください。この動きをしているときに、どこが一番難しかったですか？

　　　その時刻へ行って、前にやったように時計に油を差してください。それから時計の周りをそれぞれの方向に1回ずつ行ってください。どうでしたか？　円はより丸くなりましたか？

　　　時刻の場所は気にかけず、それぞれの向きに何回か円を描いてください。やめてください。両足を離して、両足とも床につけてください。

16.　**3回、時計回りの動きをしてください。それから向きを変えて、さらに3回動きをしてください。**これは、足の位置を変える前とどのように違いますか？　どれくらい体がまっすぐですか？　このように座っているのがどんなに楽ですか？　呼吸、背中の感じ、お尻の感じに気づいてください。立ち上がって、どのように感じるかに気づいてください。1〜2分歩き回って、これがどんな感じかに気づいてください。

レッスンの終わり

　このレッスンには、たくさんの異なるやり方が可能です。そのヴァリエーションを探求する前に、少なくとも4回は上のやり方でレッスンをしてください。簡単なヴァリエーションとしては、時計の大きさを変えることもできます。他にも、両足の裏を合わせて座ってやったり、もし寝てやるなら、両肘にもたれたり両腕を伸ばしたりしてやることもできます。これらのヴァリエーションで股関節が広がるでしょう。あるいは頭の動きに焦点を当てることもできます。頭も骨盤と一緒に時計を描いていることに気づいてください。それから頭でこの動きをリードしてください。さらにチャレンジするなら、頭と骨盤の時計を反対に行かせたり、あるいは1つを6時、もう1つを12時から始めたりすることもできます。さらに別の可能性としては、片方のお尻だけを椅子にのせて座ることもできます（あるいは床で片脚

を上げて、もう片脚を下ろして）。

　でも、どうか、どのヴァリエーションを試すにしても、胴体がのっている骨盤から力が来るという基本の考えは忘れないでください。もっともらしいヴァリエーションを思いつくことは簡単ですが、頑張りを正当化する役には立ちません。

座っているときの骨盤

まっすぐ座るとき骨盤は胴体の真下にある

　骨盤は水盤と胴体の支えの両方の役目を果たすため、まっすぐ座ることにとって決定的に重要です。理想的には、体重は2つの坐骨に均等に配分される必要があります。そのとき、姿勢が崩れたり居心地が悪くなったりすることなく、重さが肩を通ってまっすぐ下へ下りていきます。この姿勢の鍵は、骨盤を胴体の下に置くことです。胴体が前かがみのように前過ぎることもなく、過伸展のように後ろ過ぎることもなく、です。残念ながら、ほとんどの人はまっすぐ座る仕方を学んでいません。

前かがみの場合

　前かがみというのは、10代の姿勢として世間一般に見られます。この姿勢は、若いときには大きな苦痛の原因にはなりませんが、必ず発声を妨げます。前かがみ、または背中を丸くして座ると、必然的に胸骨が圧迫されるとともに肋骨が平らになり、空気を吸い込みにくくなります。また前かがみの姿勢では、喉の周りの筋肉を締めつけ、顎を引き下げることにもなります。少しの間、前かがみになれば、これらの影響を感じることができるでしょう。背中を丸くして歌うところを想像してください。もちろん誰も実際にそうしようとはしません（これが効果的になるかもしれない、ごく少ない役柄を除いては）。

　けれども、もし前かがみがあなたの習慣的な姿勢ならば、まっすぐな姿勢は慣れない頑張りを伴うため、長時間完全にその姿勢を保つのは難しいでしょう。身体システムは適切にバランスをとることに慣れておらず、バランスを保つのに筋肉的な頑張りが必要になるからです。でも、適切なまっすぐの姿勢が普通であれば、筋肉的な頑張りは不要で、無理なく正しい感じがします。というのも、体重が背骨によって、バランスを保つのに必要なごく最小限の力で支えられるからです。この姿勢なら、呼吸器官が完全に働くことができ、顎や喉に過剰な緊張がありません。

過伸展の場合

　過度にまっすぐ、あるいは過伸展である可能性もあります。女性の体操選手は、テクニックの一部として過伸展の姿勢をとります。これが習慣的な姿勢であるとき、身体システムが硬

直し、体中が緊張し、肩甲骨が引っ込められます。その結果、呼吸が妨げられ、緊張した質感が声にも表れます。習慣的に過伸展の人にとっては、バランスのとれた直立姿勢は前かがみのように感じられ、あまりにも簡単すぎて何かが欠けているかのように感じるでしょう。

　不適切な体の支え方は深く染みついていますから、変えるのは難しいように思われます。「まっすぐ座りなさい」という注意はほんの数分しか役に立たず、ほとんどの人は、適切に座ることを学ぶには長くかかり、骨が折れると思っています。でも次のレッスンをすれば、そうではないことが分かるでしょう。レッスン全部を終えたら、座骨の上でよりうまく、より楽に、より完璧に座っていて、より適切にまっすぐになっている感じがするでしょう。もちろん、1回のレッスンで完全かつ永久に長年の習慣に打ち勝つということはありません。リラックスしたまっすぐの姿勢が普通になるには、何度も繰り返すことが必要です。

ATM：まっすぐ座るための骨盤の役割

1. 　できれば平らな座面の椅子に座ってください。椅子の背にもたれる必要がありますか、それとも心地よくまっすぐに座ることができますか？では椅子の前の端に座ってください。左手を左膝の上に置き、右手を体の後ろで座面の右側に置いてください。**左膝を少し前に動かし、それからニュートラルな（前でも後ろでもない中立な）位置に戻してください。（動きは股関節から起きます。これが感じられますか？）これを**ゆっ

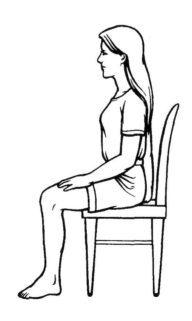

くりと6〜8回やってください。**股関節と膝の動きによって頭と目が動かされるまま
にしてください。動きと動きの間では、1回の動きにかかるくらいの時間、止まって
ください。**その場所で1分ほど休んでください。

2.　**左膝を前へ動かしてから止まって、目と頭を真ん中に戻し、それから膝をニュートラ
ルな位置に戻してください。**4〜6回くり返し、それから椅子の後ろの方に座ってく
ださい。体の左側と右側がどのように感じられるか比べてください。しばらく止まっ
てください。必要でしたら、椅子の背にもたれてもかまいません。

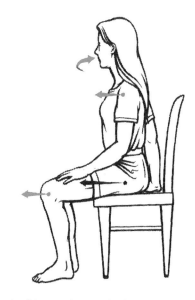

3.　椅子の端に戻ってください。右手を右膝の上に置き、左手を座面の左側に置いてくだ
さい。**右膝を前へ動かし、戻してください。頭と目が動くままにしてください。この
動きをするとき、いつ息を吸うか、いつ息を吐くかに気づいてください。**ゆっくりと
6〜8回くり返してください。動きと動きの間で止まることを忘れないでください。
その場所で休んでください。

4.　**右膝を前へ動かし、止まって目と頭を真ん中に戻し、それから膝をニュートラルな位
置に戻してください。**これをゆっくりと5〜6回やって、それから椅子の後ろの方に
座ってください。今はどのように感じますか？

これがこのモジュールの終わりです。一度でできない場合、ここでやめるのが妥当です。
ステップ5から再び始めてください。

---

5. ステップ1から3までを、2回ずつやって復習してください。

では右手を右膝の上に置き、左手を左膝の上に置いてください。**ゆっくりと片方の膝を前へ動かし、それからもう片方を動かしてください。**前へ動かしていない方の膝に何が起きますか？　このパターンを何回かくり返し、一連の動きをした後では、毎回その動きの効果を吸収するために止まってください。やめてください。今はどのように座っていますか？

6. **右手を体の後ろの座面に置き、左手を左膝の上に置いてください。左膝を前へ動かし、そこでそのままにしておいてください。**頭はわずかに右にずれているでしょう。頭もそこでそのままにしておいてください。**目を真ん中の方へ動かしたり戻したり、何度かやってください。**それからすべてを真ん中に戻してください。これを3～4回やってください。

今度は左膝を前へ動かしたり戻したり、何度かやってください。今はどんな感じですか？

それから左膝を前へ1回動かし、緊張しないで、どれくらい遠くまで右が見えるか、調べてください。椅子の後ろの方に座って休み、体の左側と右側の違いに気づいてください。

7. 椅子の前の方へ来て、両手を両膝の上に置いてください。**右膝を前へ動かす動きを3回してください。**

それから右膝を前へ動かして止まり、頭だけを真ん中へ動かしたり戻したりを何度かやってください。止まってください。**それから右膝を前へ2回動かし、変化に気づいてください。**

最後に、左膝と右膝を交互に前へ4～6回動かしてください。今はどのように座っていますか？　体の下の座面に座骨を感じることができますか？　まっすぐ座るのは、より楽になりましたか？

これがこのモジュールの終わりです。一度でできない場合、ここでやめるのが妥当です。
ステップ8から再び始めてください。

---

8. 左手を左膝の上に置き、右手を右膝の上に置いてください。膝を交互に前へ、3〜5回、ゆっくりと動かしてください。いつ息を吸っているかに気づいてください。

   交互に続けますが、目線を正面の 一点に固定してください。目と頭を真ん中に置いたままで、この動きを4〜6回くり返してください。今度は、膝が前後する動きとともに、頭と目が動くにまかせて何度かやってください。これはどんな感じですか？椅子の後ろの方に座って休んでください。

9. 椅子の前の方へ来てください。左手を左膝の上に置き、右手を体の後ろの座面に置いてください。左膝が前へ動くとき、目と頭で左を見て、それからすべてを真ん中に戻してください。4〜5回くり返してください。

   それから手の位置を逆にして、右膝が前へ動くとき、目と頭で右を見てください。もう一度これを4〜5回くり返してください。

   今度は両手をそれぞれの膝の上に置き、膝の前後の動きを、交互に何度かやってください。動きの向きによる違い、また以前との動き方の違いにも気づいてください。椅子の後ろの方に座って休んでください。

10. 椅子の前の方へ来てください。両手を両膝の上に置き、膝を交互に2回、前へ動かしてください。膝を交互に前へ動かすことを続けますが、今度は右膝が前に行くとき右を見て、左膝が前に行くとき左を見てください。3〜5回くり返してください。

    今度は、頭と目が膝の動きによって自然に動かされるやり方に戻ってください。4〜6回くり返してください。これは今、どうですか？

    それから右膝を前へ動かして、どれくらい遠くまで左が見えるかを調べてください。同じことを反対側でも試してください。最後に、止まって、どんなにまっすぐだと感じるかに気づいてください。では立って、これがどんな感じかに気づいてください。どんなにまっすぐ立っていますか？

    別の活動へ移る前に、1〜2分、歩き回ってください。

レッスンの終わり

第6章

呼吸

呼吸のしくみ

息を止めるとパフォーマンスが下がる

　呼吸は生命にとって生死を左右する重要なものですが、それだけでなく、コントロールすることにおいても決定的な役割を果たします。呼吸が自由でなければ、あなたが何をするにせよ、制限され、パフォーマンスが下がります。

　それではなぜ、人は緊張する場面でよく呼吸を止めるのでしょうか？

　かつて、それには生物学的に生き残りをかけた価値があったからです。危険に直面したとき、大きく息を吸い、息を止めて、それから一気に行動に移すことによって、自分の力を集めるのです。これによって狩りにおけるライオンの行動が説明できます。ライオンはこっそり静かに近づき、警告なく獲物に襲いかかるだろう、と思われるかもしれません。しかし実際には、ライオンは獲物に近づいたとき、しばしば吼えるのです。ライオンがこうするのは、獲物が最初の反応として息を止め、行動に備えて緊張するのを知っているからです。このように行動に備えて緊張することで、初動がより力強くなり、長時間にわたって、より速いスピードと耐久力を発揮できるのです。けれども、もし獲物がさっと逃げる前にライオンが手を伸ばせば、相手は動かないのですから、ライオンは狩りに成功することになります。

　人間が狩猟採集社会の一員だったときには、呼吸を止めることは生き残るために価値がありましたが、今日では、ほとんどあてはまりません。むしろ私たちは、いつでも自由に呼吸できる必要があります。そうすることで日常の行動がやりやすくなりますし、確実な呼吸のやり方が必要とされる歌うことにおいても不可欠です。

歌に適した呼吸とは

適切な呼吸の仕方は、歌うこと（吹奏楽器の演奏も同様）と他の活動とでは異なります。ほとんどの活動において私たちは、息を吸ったり吐いたりするのに、できるだけ肺の許容量全部を使いたいと考えます。というのは、その活動に力を与えるために呼吸を使っているからです。走るときに出し入れする空気の総量は、私たちの限界の一つです。

歌うとき、呼吸は歌うことに力を与えます。日常の活動においては、胸は広がったり縮んだりしますが、歌うときには胸を開いて広々とした状態に保ち、息が出て行くにつれて胸が縮まないようにする必要があります。さもなければ自由な呼吸の流れを邪魔してしまうからです。

呼吸の構造としくみ

ごく単純に言えば、呼吸のしくみには次の部分が含まれます。肺、肋骨と肋間の筋肉（内肋間筋と外肋間筋）、そしてボウルをひっくり返した形の大きくて薄い横隔膜の筋肉です。

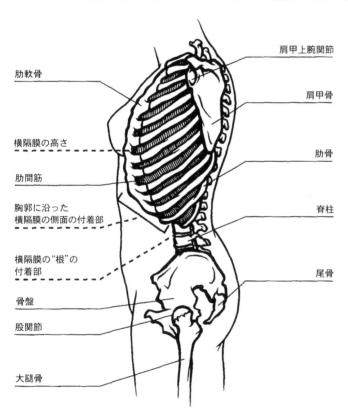

肋軟骨

横隔膜の高さ

肋間筋

胸郭に沿った
横隔膜の側面の付着部

横隔膜の"根"の
付着部

骨盤

股関節

大腿骨

肩甲上腕関節

肩甲骨

肋骨

脊柱

尾骨

肋骨の外側の肋間筋が収縮すると、肋骨が広がると同時に、横隔膜が下へ収縮して少し平らになります。肺は横が肋骨の内側に、底が横隔膜の上側に付着しています。これらの協働する筋肉群が収縮するとき、その動きは同時に、肺を横と下の両方向に広げ、肺の容積が増加した結果、不完全な真空ができます。すると、生じた空間を満たすべく、空気が流れ込みます。これが、努力して空気を「吸い込む」感じのない吸気です。

肋骨の柔軟性

胸郭は英語でリブ・ケージ（肋骨の檻）と言います。肋骨を檻と考えると制限になり得るのと同様に、肋骨は動きやすいという感覚をもつことは非常に価値があります。

肋骨と胸骨の間や、肋骨と胸椎の面の間をつなぐ軟骨質の性質と、椎間板の弾力性のおかげで、肋骨は実際には非常にしなやかであり、かなり拡張したり変形したりすることができ

ます。

　目標は肋骨を適切に広げることです。歌うために肋骨を広げる鍵となるのは、私たちが「肋骨をポンと動かす」と呼んでいることです。

　肋骨には、いくつかの重要な事実があります。肋骨は上から下へ行くにつれて大きく重くなります。肋骨の上側10対は、背骨の椎骨と胸骨の両方に付着しています。下に行くにつれ、肋骨はよりしなやかになり、広がりやすくなります。注目すべきは一番下にある2対の肋骨です。まったく胸骨に付着せず自由に浮いており、浮遊肋骨と呼ばれています。背骨にしか付着していないため、最も広がる余地が大きいのです。

浮遊肋骨と横隔膜

　横隔膜のへりも最下部の第12肋骨（浮遊肋骨）に付着している、という事実もまた重要です。そのため、歌い手が胸郭全体に「ポン」と開くよう、意識的にお願いして訓練するならば、自然に広々と広がる可能性があります。ただしこの動作は、腹壁や胴体のどこも抑制せずに緩める感覚と結びついていなければなりません。そうすれば、横隔膜も制限されずに自由に収縮し、平らになることができるのです。その結果、ほとんど瞬間的に、ほとんど努力感なく、効率的に空気を取り込むことができます。歌い手はほとんど何もしなかったように感じますが、空気は上手に供給され、どんな楽節にも対応して歌うことができます。

　逆に、歌い手が「満タンにする」ように深い呼吸を取ろうとすれば、その影響で努力感に満ち、声の自由さが制限されます。（呼吸の解剖学としくみについての詳しい記述は、Bunch 1993, chap.3. 参照）

重要なのは空気の自由な流れ

　どれくらい多く空気を取り込めるかと同様に重要なのは、どれくらい自由に空気を取り込めるかです。もし呼吸に多くの努力が必要なら、たくさん息を吸えたとしても、声に費やせる力が減ります。ですから、自由な流れをもつことが非常に重要なのです。

肺は空っぽの袋で、6方向に開く

　自由な流れをもつには、自由に肺全部を使えることが必要です。そのためには、肺は単なる空っぽの袋であるということを理解しなければなりません。筋肉の働きで真空ができるとき、肺が開きます。真空は三次元ですから、肺は次の6方向に開きます。すなわち、お腹と肋骨が広がる前へ。背骨が長くなり、内臓が後ろへ動き、肋骨が広がる後ろへ。肋骨とお腹の両方が広がる右と左へ。肩甲骨と鎖骨の両方を持ち上げながら上へ。そして骨盤帯に向かって下へ。骨盤帯は臀部へと下に動き、またわずかに外側へも広がります。これらのどの動きが妨げられても、それに応じて空気の流れが制限されます。

肩の自由さ、喉と口のリラックス

　肩の自由さは、空気の自由な流れにとって不可欠です。90ページのイラストを見れば、肩甲骨が背中の上部肋骨の上にのっていることがお分かりになるでしょう。もし肩が自由でなければ、肋骨の後ろと上への動きを直接的に妨げます。これにより、横への広がりも制限されます。というのも、上への動きが肋骨のより固い部分を持ち上げることによって、胴体のより多くの部分が広がることができるからです。また、上への動きができなければ前側の肋骨も制限され、肺が前面で開く容量が減ってしまいます。ですから、もし呼吸に問題があるなら、肩を自由にすることが最も即効的かつ効果的な対処方法となることがしばしばあります。もし肩がつまっていると感じるなら、明らかにこれにあてはまります。けれども、習慣的に固めているパターンにあまりにも慣れているため、肩をきつく締めつけていてもそのことに気づかないことはよくあります。第8章は肩の使い方について書かれており、肩をより楽に自由にするのに役立つレッスンがいくつか含まれています。

　喉と口を緩めておくことも、空気の自由な流れにとって重要です。このエリアを開放しておくためにできることはたくさんあります。第9章には口の中をより自由にするレッスンがいくつかあります。

唯一の正しい呼吸法はない

　正しい呼吸法は1つである、という考えに容易に陥りがちです。でも実際には、呼吸にとって有効な選択肢はたくさんあります。これらのうち、歌うことにとって効果的なのはほんのいくつかで、またどの歌い手にとっても、どんなときにも一番良い呼吸の仕方があるでしょう。それは健康状態によっても変わるかもしれません。一般的には、上に述べたやり方が最適です。しかしながら、他のやり方も知っておき、問題を克服でき、困ったときには選択肢を持てるようにしておく必要があります。

　次のレッスンは、呼吸器官を開く助けになる、役に立つ探索です。より良い呼吸を学ぶのにぴったりの呼吸の技術を使いますが、それが呼吸の「正しい」やり方と解釈すべきではありません。

ATM：呼吸をして自分の中心を見つける

　肘掛けのない平らな椅子を見つけてください。このレッスンは床の上で、仰向けで始めることもできます。寝たヴァリエーションをする場合は、カッコ｛　｝内をご覧ください。

1.　　椅子の前の端に座ってください。**普通に呼吸してください。普通の吸気の量で、息を吸うときに胸を膨らませてください。息を吐くのは普通でかまいません。これを6〜**

8回やってみてください。

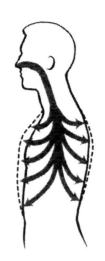

普通の呼吸を再び始めてください。普通の呼吸を続けますが、今度は息を吸うときにお腹を膨らませてください。これを7～9回やってみてください。毎回、より少ない力でお腹を膨らますことができるかどうか見てください。

2.　**普通に呼吸して、一息吸って胸を膨らませ、その次に息を吸うときにはお腹を膨らませるというように、交互にやってください。行ったり来たり、6～8回やってください。止まってください。**

いつもより大きく息を吸って、止めてください。その息を保ったままで、まず胸を膨らまし、それからお腹を膨らませるというように、交互にやってください。呼吸が必要と感じるまで、交互に続けてください。それから普通に息を吸って、吐いてください。止まって、もう一度、多少いつもより大きく息を吸って、胸とお腹を交互に膨らませてください。この一連の動きを6～8回くり返してください。胸とお腹を交互に

膨らませるのが、より簡単になりましたか？　最初は何往復できて、今やったときには何往復できましたか？　止まって、椅子の後ろの方に座って休んでください。

3.　椅子の前の方に座ってください。**今度は、息を吸うときに胸を膨らませ、息を吐くときにお腹を膨らませてください。**この逆説的な（一見矛盾したような）やり方で6〜9回、呼吸してみてください。力ずくでやったり慌てて呼吸したりしないでください。できるだけいつも通りのペースで呼吸するようにしてください。止まってください。

今度は、前にやったように、同じ一息で（息を吸って止めたまま）胸とお腹を交互に膨らませてください。これを3〜5回やってください。今はどうですか？　止まってください。今どのように呼吸しているかに気づいてください。今どのように座っていますか？　ゆっくりと立って、少しの間、歩き回ってください。

これがこのモジュールの終わりです。このレッスン全部を一度でできない場合、
ここでやめるのが妥当です。ステップ4から再び始めてください。

4.　椅子の前の方に座ってください。**呼吸して、一息ごとに胸とお腹を交互に膨らませた**ことを思い出してください。それを3〜4回やってください。

今度は、右の肋骨が椅子の背に当たるところまで、右の方に体を回してください。もし必要なら、これをするために少しもたれてください。{転がって右側を下にして寝てください。}この姿勢で普通に呼吸し、前にやったように、同じ一息で胸とお腹を交互に膨らませてください。**今回は、呼吸するごとに、その後で一呼吸分、普通に呼吸して休んでください。**このつながりを3〜5回くり返してください。止まってください。椅子で体を伸ばしてください。{転がって仰向けになってください。}しばらく座って、体の左側と右側を比べてください。

5.　**今度は、左の肋骨が椅子の背に当たるところまで、左の方に体を回してください。**{転がって左側を下にして寝てください。}この姿勢で、同じ一息で胸とお腹を交互に膨らませてください。3〜5回くり返してください。それから真ん中に座ってください。{転がって仰向けになってください。}今は体の左側と右側がどうか、比べてください。

吸気で胸を膨らませ、呼気でお腹を膨らませる動きを4〜6回やって、この前にやっ

た逆説的な呼吸を探求してください。今、胸で呼吸がどのように感じられるかに気づいてください。それから、椅子の後ろの方に座って休んでください。

6.　**椅子の背に向かって座り、体を椅子の背に、頑張りすぎない程度にできるだけ押しつけてください。{うつ伏せになってください。}** この姿勢で普通に呼吸し、今までやってきたように、**胸とお腹を交互に膨らませてください。もう一度、気楽にゆっくりと、普通の呼吸と交互に膨らませる呼吸を、交互にしてください。このサイクルを4〜6回してください。**止まって、椅子の前の方に座ってください。{転がって仰向けになってください。} 今は、胸で呼吸がどのように感じられますか？　どのように座っていますか？

ゆっくりと立ち上がって、歩き回ってください。歩くとき、足にどんな感覚がありますか？

これがこのモジュールの終わりです。このレッスン全部を一度でできない場合、
ここでやめるのが妥当です。ステップ7から再び始めてください。

7.　椅子の背に向かって座り、体を椅子の背に押しつけてください。{うつ伏せになってください。}　**普通に呼吸しながら、交互に胸とお腹を膨らませてください。これを3〜5回くり返してください。**今度は、お腹の右側と胸の左側を意識してください。

また胸とお腹を交互に膨らませながら普通に呼吸するパターンを始めますが、胸を膨らませるときに注意を胸の左側に向け、お腹を膨らませるときに注意をお腹の右側に向けてください。この呼吸のサイクルを5〜7回くり返してください。止まって、休む間、椅子の後ろに体を押しつけたままでいてください。

8.　**今度は胸の右側とお腹の左側に注意を向けながら、呼吸して膨らませるパターンをくり返してください。これを4〜6回くり返してください。**止まって、椅子に心地よく座って休んでください。{転がって仰向けになってください。}

9.　椅子の前の方に来てください。**自分自身を抱きしめるようにして、右手を左の脇に置き、左腕が右腕の下に来るようにして左手を右の脇に置いてください。この姿勢で普通に呼吸しながら、胸とお腹を交互に膨らませてください。これを4〜7回くり返し**

てください。止まって、両手を外し、今どのように呼吸しているかに気づいてください。

10.　**立ち上がってください。** 足が床とどのように接触しているかに気づいてください。

　立ったままで逆説的な呼吸をして、吸う息で胸を膨らませ、吐く息でお腹を膨らませる動きを4〜6回してください。これをしているとき、床との接触に気づいてください。やめてください。少し止まって、それから2〜3回、胸とお腹を交互に膨らませてください。やめてください。どのように立っているかに気づいてください。どのように呼吸をしていますか？少し歩き回ってください。

レッスンの終わり

病気からの回復

　誰でも、ときには病気になります。普通はただの軽い風邪ですが、どんな呼吸の問題であっても、それにより非常に歌いにくくなります。はなはだ困るのは、楽でない状態が長引くことです。感染がおさまったように見えるずっと後にも、副鼻腔と肺に粘液が残っているように感じられます。楽でない感じはこのネバネバの粘液のせいだと思われるかもしれませんが、体の中がすっかりきれいになってもなお、呼吸のしにくさが残ります。これは、ひとつには体力が完全には回復していないからかもしれませんが、呼吸のしにくさが長引く別の理由は、呼吸器官の構造にあります。

　私たちの肺は胸膜と呼ばれる膜に包まれています。胸膜は二重になっており、片方は肺、もう片方は肋骨を覆っています。膜と膜の間は粘性の高い液体で満たされています。この二重の膜と粘液のおかげで、肺と肋骨が互いに逆向きに滑っても、ほとんど摩擦はありません。感染が起きると、胸膜の一部に炎症が起きることがあります。（感染が胸膜全体に広がった状態は胸膜炎と呼ばれます。）胸膜の炎症によって、肺のそのエリアの摩擦レベルが劇的に高まるため、非常に呼吸がしにくくなり、呼吸するためにもっと頑張りが必要になります。また人によってはそのエリアに非常な不快感を覚えます。どのエリアにおいても動きがないので、引っ張られているような感じがします。

　次のレッスンは、集中的に肺を長くすることによって胸膜を解放します。このレッスンを行なうにつれ、肺と胸膜がくっついていると感じるところが緩んでいくでしょう。一般的に役に立つレッスンですが、呼吸の問題に通常付随する、引っ張られたり圧縮されたりする感

覚を克服するのに、非常に助けになります。

ATM：肺を長くする

1. 心地よい椅子に座り、足が床の上で互いに平行になるようにして、腕は体の横に置いてください。（このレッスンは、床に仰向けに寝て膝を曲げ、床に足をつけてすることもできます。）自分の吸気と呼気の長さに意識を向けてください。体の中で、呼吸の動きが非常にはっきりしているところはありますか？　まったく動きを感じないところはありますか？　頭を左右に回し、それから真ん中に置いてください。やさしく、穏やかに呼吸しながら、右の肺を長くすることを想像してください。すべての空間を満たしてください。この動きが楽なのはどこか、後で大きな呼吸が必要になるかもしれないのはどこかに気づいてください。実際には、「長くする」というのは少し語弊があって、肺が横や前や後ろにも動くのを感じることができます。2〜3分、この探求を続けてください。右の肺がすべての方向に長くなるようにしてください。続けるにつれ、何らかの「くっついた」場所が感じられるでしょうか。止まって少し休んでください。

2. 今度は、穏やかに呼吸しながら、左の肺を長くすることを想像してください。もう一度、すべての空間をいっぱいにできるか、調べてください。この探求を2〜3分、続けてください。左の肺をすべての方向に膨らませながら、意識を向ける場所を変えていってください。どこが動かしやすいか、どこがより難しいかに気づいてください。いくつかの場所は他の場所よりも意識しやすいかどうかにも気づいてください。意識の向けやすさと動きやすさの間には、何か関係がありますか？　少し止まってください。

頭を左右に回してください。今はどうですか？

3. 穏やかに息を吸いながら、左右の肺が長くなるのを交互に感じてください。体の左右の感じ方を比べてください。何も変えようとしないで、ただ、これがどんな感じかに気づいてください。左右それぞれで、これを15〜20呼吸ずつ続けてください。これには2〜3分かかるでしょう。止まって、今どんな感じかに気づいてください。

頭を左右に何度か回してください。今はどうですか？

これがこのモジュールの終わりです。このレッスン全部を一度でできない場合、
ここでやめるのが妥当です。ステップ４から再び始めてください。

4.　左手を、頭を越えて右のこめかみに置いてください。やさしく頭を左に曲げてくださ
い。左耳が左肩に向かって動くでしょう。これをするとき頭を回さないでください。
鼻は前を向いたままです。引っ張ったり、どれほど遠くまで頭を動かせるか試したり
せずに、３〜４回くり返してください。

今度は頭を左に曲げて、そこで１〜２分、心地よくいられるところまでだけ行ってく
ださい。この姿勢で、穏やかに息を吸って、右の肺を長くすることを想像してくださ
い。８〜10呼吸、続けてください。これは１分より少し長いです。頭を元の位置に
戻し、腕を体の横に下ろしてください。少し止まってください。

5.　左手を、頭を越えて右のこめかみに置いてください。やさしく頭を左に曲げて、そこ
で１〜２分、心地よくいられるところまでだけ行ってください。この姿勢で、穏やか
に息を吸って、左の肺を長くすることを想像してください。６〜８呼吸続けてくださ
い。それから頭を元の位置に戻し、腕を体の横に下ろしてください。少しの間、止まっ
てください。体の左右を比べてください。

6.　左手を、頭を越えて右のこめかみに置いてください。やさしく頭を左に曲げて、そこ
で１〜２分、心地よくいられるところまでだけ行ってください。この姿勢で、穏やか
に息を吸って、まず右の肺を、それから左の肺を長くすることを想像してください。
交互に行ったり来たり、５〜６回やってください。左の肺と右の肺では、どちらの方

が長くするのが簡単かに気づいてください。どちらの肺がより完全だと感じますか？

では頭を元の位置に戻し、**腕を体の横に下ろしてください**。少しの間、止まってください。

頭を左右に回してください。

7. 右手を、頭を越えて左のこめかみに置いてください。やさしく頭を右に曲げて、そこで1～2分、心地よくいられるところまでだけ行ってください。この姿勢で穏やかに息を吸って、左の肺を長くすることを想像してください。8～10呼吸続けてください。頭をこちら側に曲げるのは、より簡単ですか、それともより難しいですか？　では頭を元の位置に戻し、**腕を体の横に下ろしてください**。少し止まってください。

8. 右手を、頭を越えて左のこめかみに置いてください。やさしく頭を右に曲げて、そこで1～2分、心地よくいられるところまでだけ行ってください。この姿勢で穏やかに息を吸って、右の肺を長くすることを想像してください。8～10呼吸続けてください。それから頭を元の位置に戻して、腕を体の横に下ろしてください。少し止まってください。

9. 右手を、頭を越えて左のこめかみに置いてください。やさしく頭を右に曲げて、そこで1～2分、心地よくいられるところまでだけ行ってください。この姿勢で穏やかに息を吸って、左と右の肺を交互に長くすることを想像してください。8～10呼吸続けてください。それから頭を元の位置に戻して、腕を体の横に下ろしてください。少し止まってください。

10. では、穏やかに息を吸うときに、交互に左右の肺が長くなるのを感じてください。片側につき6～8呼吸かけてください。体の左右の感じ方比べてください。何も変えようとしないで、ただ、どんな感じなのかに気づいてください。

頭を左右に回してください。少し止まってください。

これがこのモジュールの終わりです。このレッスン全部を一度でできない場合、ここでやめるのが妥当です。ステップ11から再び始めてください。

---

11. 右手を、頭を越えて左のこめかみに置いてください。やさしく頭を右に曲げて、そこで1〜2分、心地よくいられるところまでだけ行ってください。この姿勢のままでいて、骨盤を持ち上げ、右に約3センチメートル移してください。これで、右側がカーブしている感じが強まります。この姿勢で、穏やかに息を吸って、左の肺を長くしてください。これを2〜3回くり返してください。

    骨盤を元の位置に戻して、左の肺を長くしてください。それから骨盤を持ち上げて、もう一度右に動かして、左の肺を長くしてください。この一連の動きを3〜4回くり返してください。それから骨盤と頭を元の位置に戻してください。止まって少し休んでください。

12. 右手を、頭を越えて左のこめかみに置いてください。やさしく頭を右に曲げて、そこで1〜2分、心地よくいられるところまでだけ行ってください。この姿勢のままで、骨盤を持ち上げ、右に約3センチメートル移してください。今度は穏やかに2回息を吸って、右の肺を長くしてください。これを2回くり返してください。

    骨盤を元の位置に戻して、そこで左の肺を長くしてください。それから骨盤を持ち上げて、もう一度右に動かして、左の肺を長くしてください。これを3〜4回くり返してください。骨盤と頭を元の位置に戻してください。止まって少し休んでください。

13. 右手を、頭を越えて左のこめかみに置いてください。やさしく頭を右に曲げてください。そこで1〜2分、心地よくいられるところまでだけ行ってください。この姿勢のままで、骨盤を持ち上げ、右に約3センチメートル移してください。今度は穏やかに一息吸って、右の肺を長くしてください。次の呼吸で左の肺を長くしてください。左右の肺を交互に長くすることを4〜5回やってください。それから骨盤と頭を元の位置に戻してください。止まって少し休んでください。

    頭を左右に回してください。体の左右の側がそれぞれ今はどう感じられるか比べてください。

14. 左手を、頭を越えて右のこめかみに置いてください。やさしく頭を左に曲げて、そこで1〜2分、心地よくいられるところまでだけ行ってください。この姿勢のままで、骨盤を持ち上げ、左に約3センチメートル移してください。今度は穏やかに2回息を吸って、右の肺を長くしてください。これを2〜3回くり返してください。

骨盤を元の位置に戻して、そこで右の肺を長くしてください。それから骨盤を持ち上げて、もう一度左に動かし、右の肺を2回長くしてください。この一連の動きを3回くり返してください。それから骨盤と頭を元の位置に戻してください。止まって少し休んでください。

15.　左手を、頭を越えて右のこめかみに置いてください。やさしく頭を左に曲げて、そこで1〜2分、心地よくいられるところまでだけ行ってください。この姿勢のままで、骨盤を持ち上げ、左に約3センチメートル移してください。今度は穏やかに一息吸って、左の肺を長くしてください。これを2〜3回くり返してください。

骨盤を元の位置に戻して、そこで左の肺を長くしてください。それから骨盤を持ち上げて、もう一度左に約3センチメートル動かし、左の肺を長くしてください。この一連の動きを3〜4回くり返してください。それから骨盤と頭を元の位置に戻してください。止まって少し休んでください。

16.　左手を、頭を越えて右のこめかみに置いてください。やさしく頭を左に曲げて、そこで1〜2分、心地よくいられるところまでだけ行ってください。この姿勢のままで、骨盤を持ち上げ、左に約3センチメートル移してください。今度は穏やかに一息吸って、左の肺を長くしてください。次の呼吸で右の肺を長くしてください。左右の肺を交互に長くすることを4〜5回やってください。それから骨盤と頭を元の位置に戻してください。止まって少し休んでください。今は体の左右の側をどう感じるか比べてください。

頭を左右に回してください。

これがこのモジュールの終わりです。このレッスン全部を一度でできない場合、ここでやめるのが妥当です。ステップ17から再び始めてください。

17.　右手を、頭を越えて左のこめかみに置いてください。やさしく頭を右に曲げて、そこで1〜2分、心地よくいられるところまでだけ行ってください。この姿勢のままで、骨盤を持ち上げ、左に約3センチメートル移してください。これは傾いているように感じるかもしれません。今度は穏やかに一息吸って、左の肺を長くしてください。これを2〜3回くり返してください。

骨盤を元の位置に戻して、そこで2回、左の肺を長くしてください。それから骨盤を持ち上げてもう一度左に動かして、左の肺を2回長くしてください。これを2〜3回くり返してください。それから骨盤と頭を元の位置に戻してください。止まって少し休んでください。

18. 右手を、頭を越えて左のこめかみに置いてください。やさしく頭を右に曲げてください。この姿勢のままで、骨盤を持ち上げ、左に約3センチメートル移してください。今度は穏やかに一息吸って、左の肺を長くしてください。これを2〜3回くり返してください。

骨盤を元の位置に戻して、そこで左の肺を長くしてください。それから骨盤を持ち上げて、もう一度左に動かして、左の肺を長くしてください。これを3回くり返してください。それから骨盤と頭を元の位置に戻してください。止まって少し休んでください。

19. 右手を、頭を越えて左のこめかみに置いてください。やさしく頭を右に曲げてください。この姿勢のままでいて、骨盤を持ち上げ、左に約3センチメートル移してください。今度は穏やかに一息吸って、右の肺を長くしてください。次の呼吸で左の肺を長くしてください。左右の肺を交互に長くすることを4〜5回やってください。それから骨盤と頭を元の位置に戻してください。止まって少し休んでください。

頭を左右に回してください。今は体の左右をどう感じるか比べてください。

20. 左手を、頭を越えて右のこめかみに置いてください。やさしく頭を左に曲げて、そこで1〜2分、心地よくいられるところまでだけ行ってください。この姿勢のままで、骨盤を持ち上げ、右に約3センチメートル移してください。では穏やかに一息吸って、右の肺を長くしてください。これを2〜3回くり返してください。

骨盤を元の位置に戻し、そこで右の肺を長くしてください。それから骨盤を持ち上げ、もう一度左に動かして、右の肺を長くしてください。この一連の動きを2〜3回くり返してください。それから骨盤と頭を元の位置に戻してください。止まって少し休んでください。

21.　左手を、頭を越えて右のこめかみに置いてください。やさしく頭を左に曲げてください。この姿勢のままでいて、骨盤を持ち上げ、右に約3センチメートル移してください。では穏やかに一息吸って、左の肺を長くしてください。これを2〜3回くり返してください。

　　骨盤を元の位置に戻して、そこで左の肺を2回、長くしてください。それから骨盤を持ち上げ、もう一度左に動かして、左の肺を2回長くしてください。この一連の動きを2回くり返してください。それから骨盤と頭を元の位置に戻してください。止まって少し休んでください。

22.　左手を、頭を越えて右のこめかみに置いてください。やさしく頭を左に曲げて、そこで1〜2分、心地よくいられるところまでだけ行ってください。この姿勢のままで、骨盤を持ち上げ、右に約3センチメートル移してください。では穏やかに一息吸って、左の肺を長くしてください。次の呼吸で右の肺を長くしてください。左右の肺を交互に長くすることを4〜5回やってください。それから骨盤と頭を元の位置に戻してください。止まって少し休んでください。

　　頭を左右に回してください。今は体の左右がどう感じられるか比べてください。

レッスンの終わり

第7章

胴体上部の柔軟性

胴体上部

楽な呼吸のためには肋骨を自由に

　胴体の上部は、大まかに言うと、肋骨と胸部の背骨から成り立っています。この部分は呼吸と密接に関係しています。第6章で述べたように、肺が自由に楽に開くためには、肋骨が自由に動かなければなりません。肋骨が適切に収縮できなければ、肺の中につくられる真空が小さくなり、そのため空気が取り込みにくくなります。最も動ける余地がある肋骨は浮遊肋骨です。良い呼吸における浮遊肋骨の役割、とくに肺の下部を開くためにこれらの肋骨をポンと開くことについては、第6章でも探りました。

　肋骨の固さは、実際には肋骨をつなぐ肋間筋の固さですが、その原因は、肋骨の骨折や病気、さらには集中しているときに呼吸を止める癖まで、多岐にわたります。もし肋骨を折ったなら、医師に見てもらうべきです。そうすれば肺に穴を開けてしまわずに済むでしょう。その後で重要なことは、肋骨の動きをできる限り正常に保つことです。そうすれば回復を早めると同時に、可能な限り完全な状態になります。第6章に含まれる「肺を長くする」というレッスンは、病気の影響に打ち勝つ助けになります。もちろん、適切な休息や食事、そして必要なときには薬物治療を受けることも、すべて必要です。

習慣的に呼吸を止めるのは問題

　難しい課題に出くわしたとき、瞬間的に呼吸を止めることはよくあります。その後すぐに課題に取りかかりますが、これは適切な自分の使い方（self-use）です。問題が持ち上がるのは、まるで人生そのものが困難であるかのように、息を止めることが習慣になったときです。ほんの少しの間、自分の呼吸に注意してください。それから何か難しいことを考えてく

ださい。そのことで呼吸がどれくらい止まりましたか？　もしほんの少ししか止まらなかったなら、おそらくあなたは、本当に難しいことを考えてはいなかったのでしょう。ではもう一度、他の何か、するのが難しいことか直面している難しいことについて考えてください。もしあなたの呼吸がまだほとんど変わらなければ、あなたは習慣的に呼吸を止めているかもしれません。

　次のレッスンは、肋骨の自由な動きを助けることを意図しています。これは本書では数少ない、**寝てしなければならない**レッスンの１つです。

ATM：肋骨を自由にする

1.　仰向けに寝て両脚をまっすぐ伸ばしてください。このレッスンでは、左右どちら側にも約60センチメートル分の間隔が必要です。背中がどのように床についているかに気づいてください。呼吸してください。どのように呼吸しているかに気づいてください。

　　右膝を曲げて右足を床の上に立ててください。右手を左の脇に入れて置いてください。それから左手を、右腕を越えて、右肩から15センチメートルほど上方で宙に浮かせたままにしてください（下図参照）。手を首の方まで上げないでください。左の手と腕を右の方へ伸ばしてください。こうすると手が右肩から離れていきます。この動きを促すために、右手で左の肩甲骨をやさしく引っ張ることもできます。動きの一部として、頭が右に回ります。できれば左腕を床に沿って伸ばしてください。ぎゅっとしないでください。心地よくできる距離だけ行ってください。この動きをゆっくりと6～8回くり返してください。次の動きを始める前にいつも、一連の動き全体を行なうのと同じくらいの時間、止まってください。

　　止まって、少しの間、この姿勢のままでいてください。

2.　**両腕の位置を入れ替えてください。ではもう一度、左の手と腕を右の方へ伸ばしてください。左手を脇から外して床の方へ滑らせてください。ここでも右手が左の肩甲骨をやさしく引っ張って助け、頭は右へ回り、胴体の上部が回転します。**もちろん右腕の位置が、左腕が同じくらい遠くへ伸びるのを邪魔しています。ですから、遠くまで行こうとせず、前の動きのパターンで感じたのと同じ、楽な感覚をめざしてください。5〜7回くり返してください。止まってください。

腕をほどいて右脚を伸ばしてください。体の左右の側を比べてください。それから少し休んでください。

3.　**左手を右の脇に入れ、右腕を、左腕を越えて、左肩から15センチメートルほど上空に置いてください。**これはステップ2と同じ位置です。左膝を曲げ、左足を床の上に立ててください。今度は右の手と腕を左へ動かしてください。今回は、右肩が動き、頭が左へ回るように、左手が助けます。この動きを6〜8回くり返してください。毎回くり返すたびに、動きをよりスムーズに、あるいはより簡単にできるでしょうか。

止まって、少しの間、この姿勢のままでいてください。

4.　**両腕の位置を入れ替えてください。ではもう一度、右の手と腕を左の方へ伸ばしてください。頭が回るにまかせ、胴体が左へ回転するのを感じてください。左腕がこの動きを助けます。**5〜7回くり返してください。右腕が上だったときよりも、この動きを簡単にできるでしょうか。止まってください。

腕をほどいて脚を伸ばしてください。体の左右の側を比べてください。より均等に感じますか？　背中が今はどのように床についていますか？　呼吸はどんな感じですか？休んでください。

これがこのモジュールの終わりです。このレッスン全部を一度でできない場合、ここでやめるのが妥当です。ステップ5から再び始めてください。

5.　**左膝を曲げ、左足を床の上に立ててください。左手を右の脇に入れて置いてください。右手を、左腕・左肩の上方に浮かせておいてください。目を天井の一点に固定してください。では右の手と腕を左の方へ動かしてください。**今回は、右肩が動くのを

左手が助けます。頭は動かさないでください。これを5〜7回くり返してください。呼吸を止めていないかどうかに注意してください。この動きをするとき、自由に呼吸ができるか、あるいはより楽にできるか見てください。動きと動きの間で、この一連の動きをやり終えるのにかかるくらいの時間、止まるのを忘れないでください。

止まって、少しの間、この姿勢のままでいてください。

6. 両腕の位置を入れ替えてください。もう一度、右の手と腕を左の方へ動かしてください。もう一度、目を天井の一点に固定して、頭を動かさないように保ってください。4〜6回くり返してください。毎回動きをより楽に、より軽くできますか？　止まってください。

腕をほどいて脚を伸ばし、少し休んでください。

7. 右脚を曲げて右足を床の上に立ててください。右手を左の脇に入れて置いてください。左手を、右腕・右肩の上方に浮かせておいてください。目を天井の一点に固定してください。では左の手と腕を右の方へ動かしてください。今回は、左肩が動くのを右手が助けます。頭はじっとしたままです。6〜8回くり返してください。これは、左へ行くよりも簡単ですか、それとも、より難しいですか？　くり返すにつれ、動きはどう変わりますか？

止まって、少しの間、この姿勢のままでいてください。

8. 両腕の位置を入れ替えてください。目を天井の一点に固定することで頭を安定させたまま、左の手と腕を右の方へ動かしてください。5〜7回くり返してください。この動きをするときに微笑むことはできますか？

腕をほどいて脚を伸ばし、少し休んでください。左右の側を比べてください。背中が今はどのように床についていますか？　呼吸はどんな感じですか？　休んでください。

これがこのモジュールの終わりです。このレッスン全部を一度でできない場合、ここでやめるのが妥当です。ステップ9から再び始めてください。

9.　右脚を曲げて右足を床の上に立ててください。右手を左の脇に入れて置いてください。左手を、右腕・右肩の上方に浮かせておいてください。今度は左の手と腕を右の方へ動かしてください。今回は、左肩が動くのを右手が助けます。同時に、頭を左へ回してください。これを6～8回くり返します。ゆっくりと行って、頭と腕の動きが同時になるようにしてください。頑張りすぎていないことを確認するために、ときどき微笑んでください。

止まって、少しの間、この姿勢のままでいてください。

10.　**両腕の位置を入れ替えてください。**もう一度、胴体と左腕を右へ動かすときに、頭を左へ動かしてください。これを5～7回くり返してください。毎回の動きを、もう少しはっきりさせられるでしょうか。止まってください。

腕をほどいて脚を伸ばし、少し休んでください。

11.　**左脚を曲げ、左足を床の上に立ててください。左手を右の脇に入れて置いてください。右手を、左腕・左肩の上方に浮かせておいてください。右の手と腕を左の方へ動かしてください。同時に、頭を右に回してください。**これを5～7回くり返してください。頭を左へ回したときと比べて、こちらの方向には頭がどのように回りますか？腕をさっきと同じくらい遠くへ行かせようとしていますか？それとも簡単に行ける範囲でだけ行うことに満足できていますか？

この姿勢のままで、少し止まってください。

12.　**両腕の位置を入れ替えてください。今度は、頭を右に回すときに、胴体と右腕を左の方へ動かしてください。**これを4～6回くり返してください。この動きをするとき、どのように呼吸していますか？あるパターンで息を吸ったり吐いたりしていますか？自分がしていることに、ただ気づいてください。止まってください。

腕をほどいて脚を伸ばし、少し休んでください。左右の側を比べてください。背中が今はどのように床についていますか？呼吸はどんな感じですか？休んでください。

これがこのモジュールの終わりです。このレッスン全部を一度でできない場合、ここでやめるのが妥当です。ステップ13から再び始めてください。

---

13. 両膝を曲げて両足を床の上に立ててください。両腕を交差して、好きな方の腕を脇へ、もう片方を上に置いてください。今度は右の手と腕を左の方へ動かしてください。左手が助けて右肩が動き、頭が左に回ります。真ん中に戻ってきたら、続けて右の方へ行ってください。今度は右手が左腕を助けて、頭も右に回ります。左右へ行くこの一連の動きを5～7回くり返してください。毎回、一連の動きの後に、一往復にかかるくらいの時間、止まってください。動きが楽しく軽やかになるようにしてください。

この姿勢で少し止まってください。

14. 腕を逆にしてください。好きな方向から動きを始め、それから反対の方向に行ってください。この一連の動きを4～6回くり返してください。

この姿勢で少し止まってください。

15. もう一度、好きな方向に腕の動きを始めてください。ただし、頭は反対の方向へ動かしてください。つまり、頭は上がってくる肩の方向へ動かすということです。この一連の動きを4～6回くり返してください。動きを軽やかなままにできますか？　次の動きのときに毎回少し止まるのを覚えていましたか？　止まってください。

腕の位置を逆にして動きを再開してください。この一連の動きを4～6回くり返してください。足とお尻が互いに関係して動いている（この動きで、足とお尻の距離が変わる）ことが分かりますか？　もしそうなら、リードする腕と同じ方向に頭を動かすことで、これが逆になるかもしれません。

この姿勢で少し止まってください。

16. はじめは頭を腕と胴体と一緒に動かし、それから頭を反対に動かすことを、気楽にやってください。途中で両腕を入れ替えてください。好きなだけ動きをくり返してください。くり返しの間に、好きなように長くしたり休みを入れたりしてください。満足したところでやめてください。

腕をほどいて脚を伸ばし、少し休んでください。体の左右を比べてください。背中が今はどのように床についていますか？　呼吸はどうですか？　肋骨がどれくらい自由

だと感じますか？　背中がどれくらい長く感じられますか？　少し休んでください。

ゆっくりと座ってください。少し座ったままでいて、それから立ってください。少しの間立って、これがどんな感じかに気づいてください。それから歩き回って、これがどんな感じかに気づいてください。

レッスンの終わり

背骨の中部

背骨の動きにくさは肋骨の動き、呼吸を妨げる

　それぞれの肋骨は背骨に付いています。椎骨の両側には面があり、そこに肋骨（実際には軟骨質のつなぎの組織）が付いています。この緊密なつながりのため、背骨のどこかに動かしにくいところがあれば、肋骨の動き、ひいては呼吸を妨げることになります。

　背骨は三次元、つまり上下、左右、前後に動くことができ、さらに、これらの組み合わせによって回旋することもできます。それで体を右にねじって後ろを見ることができるのです。背骨のさまざまな部分は、多かれ少なかれ動くことができます。しかし、良い動きの鍵となるのは、首から骨盤まで、背骨全体が調和して動くことです。どこであれ動かない場所があれば、最初はやりにくさに、最終的には不快感や痛みにつながります。

　でも、普通、痛みというのは、私たちの動かないところではなく、動かないところを補うために余分な動きや頑張りをする所に出ます。もちろん、私たちは、背骨を完璧に動かすことはできませんから、均等で適切な動きに近づけるだけです。また、若いときにはよく動けますから簡単にだまされます。というのは、他の固い部分の代わりに、背骨のある部分を過剰に動かすことができるからです。

　背骨は前後・左右・上下の3つの方向に動かせるとはいっても、実際の動きでは、少なくとも2つの方向で、普通は3方向すべてで同時に動きます。ですから、前後の動きというのは当然いくらか上下の動きを伴ったりするのです。

　第5章のレッスンでは第9章の最初のレッスンと同様に、背骨の上下と前後の動きを探ります。この章の最初のレッスンは背骨の回旋を含みます。次のレッスンは背骨の左右の動きに関するものです。慣れるにつれ、あなたの動きがどれくらい左右への正確な動きからずれて、前後や上下あるいは回旋の動きも含んでいるか分かるかもしれません。もし左への動きが右への動きと著しく違っていれば、側湾（背骨の異常な湾曲）があるかもしれません。

ATM：横曲げ

1. 椅子の前の方に座ってください。**前に曲げずに、体を横に曲げて、右腕を床に向かって動かしてください。**どれくらい行ったか、これをするのがどれくらい簡単だったかに気づいてください。

   今度は同じ動きを左へしてください。どちらの手が床により近づきましたか？　この方向への動きは簡単でしたか、それともより難しかったですか？　止まってください。

2. **頭を右に傾けてください。これをするとき、頭は回さないでください。つまり、鼻は前を向いていて、右耳が右肩に向かって動くということです。**これを4〜7回くり返してください。この動きをどれくらいやさしくできるでしょうか。頭を右に向かって下げるとき、息を吐いてください。こうすると動きの助けになりますか？　止まってください。

3.　**頭を左へ傾けてください。鼻はまた前を向いています。**これを4〜7回くり返してください。こちら側での動きは、右での動きとどのように違いますか？　この動きをするとき、骨盤はどうなりますか？　止まってください。

4.　**頭を一度は左へ、それから一度は右へ、ゆっくりと傾けてください。**これを4〜7回くり返してください。左右の違いに気づいてください。頭が横に行くとき息を吐くことを覚えていますか？　他にどんな動きが頭の動きと関連しているか、気づきますか？　止まってください。

　　最初の動きをやってください。つまり、右腕と左腕を交互に床に向かって動かしてください。何か変わったかどうか変化に気づいてください。変化に気づいたら、2〜3回動きをくり返して、他の変化にも気づけるかどうか見てください。止まってください。

　　これがこのモジュールの終わりです。このレッスン全部を一度でできない場合、
　　ここでやめるのが妥当です。ステップ5から再び始めてください。

5.　**骨盤の右側を右肩に向かって、やさしく、わずかに動かしてください。これをとても小さな動きのままにしてください。**お尻を椅子から持ち上げる必要はありません。この動きを4〜5回くり返してください。そうするとき、骨盤の右側を上げるために体重を左のお尻を通して下にかけたら、何が起きるか見てください。それによって、この動きがより簡単になりますか？

　　この動きを続けて、同時に、右耳を右肩に向かって傾けてください。4〜7回くり返してください。止まってください。この前の動きでやったように、体重を左のお尻にかけましたか？　左側と右側を比べてください。呼吸に違いがありますか？

6.　**やさしく骨盤の左側を左肩に向かって動かしてください。この動きを小さいままにすることを忘れないでください。**これを4〜6回くり返してください。この動きを助けるために、体重を右のお尻にかけましたか？

　　この動きを続けて、同時に、左耳を左肩の方へ傾けてください。4〜7回くり返してください。止まってください。左側と右側を比べてください。少し休んでください。もし必要でしたら、椅子の後ろの方に座ってください。

7. 椅子の前の方に移動してください。交互に、骨盤の左側を左肩に向けて動かしたり、骨盤の右側を右肩に向けて動かしたりしてください。動きは小さいままにして、同じ距離をめざすのではなく、どちら側でも努力感を均等にすることを心がけてください。5～8回、ゆっくりとくり返してください。止まってください。

8. 今度は、骨盤の左側を左肩に向かって動かしながら左耳を左肩に向けて動かす動きと、骨盤の右側を右肩に向かって動かしながら右耳を右肩に向けて動かす動きとを、交互にしてください。これを5～8回くり返してください。ここでも、努力感を均等にすることが重要です。心地よい範囲にとどまって、それぞれの側がうまくできれば、両方とも向上するでしょう。普通は、よりうまく動けない側の方が、より向上します。このように、結果を均等にしようと頑張らなければ、それを得ることができる——というのは、しばしば起きるパフォーマンスの逆説です。止まってください。

   両腕を体の横に置いてください。ステップ1のように、右腕を床の方に向かって動かしてください。それから同じことを左にもやってください。これを、この前のモジュールの終わりと比べてください。息を吸って、どのように呼吸しているかに気づいてください。

これがこのモジュールの終わりです。このレッスン全部を一度でできない場合、ここでやめるのが妥当です。ステップ9から再び始めてください。

---

9. 歯痛があるかのように、右手を顔の右側に置いてください。右腕を使って、頭を左に傾けてください。首を柔らかく保ってください。これを3～5回くり返してください。止まってください。

   今度は左手を、歯痛があるかのように、顔の左側に置いてください。左腕を使って、頭を右に傾けてください。これを3～5回くり返してください。少し休んでください。

10. 左手を左膝に置いてください。手を脚に沿って床に向かって下へ動かしてください。もし床に届いて、心地よくさらに遠くへ伸ばせるなら、そうしてください。心地よい範囲の限界まできたら、止まって呼吸し、それから元の位置まで上がってきてください。4～6回くり返してください。止まって体の左側と右側を比べてください。

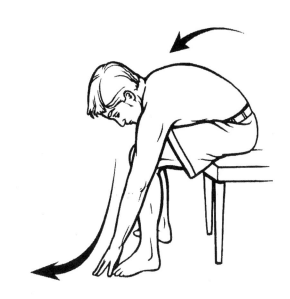

11.　右手を右膝に置いてください。手を脚に沿って床に向かって下へ動かしてください。
　　　心地よい範囲の限界まできたら、止まって呼吸し、それからゆっくりと元の位置まで
　　　上がってきてください。4〜6回くり返してください。止まって、どれくらいまっす
　　　ぐと感じるかに気づいてください。少し休んでください。

12.　右手を右膝に置き、左手を左膝に置いてください。両手を床に向かって下へ動かし、
　　　心地よい範囲で行ける一番遠いところまでいってください。止まって、呼吸して、元
　　　の位置まで上がってきてください。3〜4回くり返してください。

次に下へ行ったとき、そこでとどまって、胴体を左右に動かしてください。これに

よって両手が床に沿って左右に動くでしょう。この左右の動きを4〜6回くり返してから、座る姿勢に戻ってください。少し休んでください。

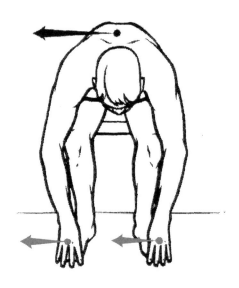

今度は右手を床の方へ脚に沿って動かし、行けるところまで1回行ってください。それから同じことを左手でやってください。休んでください。今回はどれくらい遠くまで行きましたか？　レッスンの初めと比べて、どれだけ変わりましたか？　今はどのように呼吸していますか？

これがこのモジュールの終わりです。このレッスン全部を一度でできない場合、
ここでやめるのが妥当です。ステップ13から再び始めてください。

13.　指を組んで頭の上にのせ、肘を横に開いてください。右肘を右へ下げていってください。もちろん、これをするとき、頭と左肘は動かなければいけません。この動きを4〜7回くり返してください。どれくらい、この動きをやさしくできるでしょうか。

両手はこの位置のままで少し止まってください。右への動きを再開しますが、それをするとき、頭を回して左肘を見てください。これを4〜7回くり返してください。手を下ろしてほどき、止まって休んでください。体の左右の側を比べてください。

14. 習慣的でないやり方で指を組んでください。つまり、一番上に来ている指を見て次の指と入れ替え、順次組み替えていくということです。したがって、もし右手の指がいつも、左のそれに相当する指より上にあるなら、今は全部それと逆になります。では両手を頭の上にのせてください。左肘を左へ下げてください。この動きを4～7回くり返してください。反対側でやったように、頑張らないでやってください。やさしいやり方で、どのようにこの動きをするかを、ただ見つけるだけです。

　この動きを続けますが、ただし頭を回して右肘を見てください。4～7回くり返してください。手を下ろし、ほどいて休んでください。

15. 指を組んで、頭の上にのせてください。肘を交互に、左へ下げたり右へ下げたりしてください。それぞれの側に向かって4～7回くり返してください。

　この動きを続けますが、頭を回して天井に向かって上がる肘を見てください。3～5回くり返し、そこで止まって少し休んでください。

　動きを再開しますが、今度は、一度は上がる肘を、一度は床に向かって動いている肘を見てください。それぞれの方向に3～5回くり返してください。手を下ろし、ほどいて、少し休んでください。

16. では、右手を行けるところまで床に向かって一度動かしてください。それから同じことを左手でやってください。休んでください。今回はどれくらい遠くまで行きましたか？　今はどのように呼吸していますか？　このレッスン、あるいはこのモジュール

を始めてから、何か他の変化に気づきますか？　少しの間座って、どんな違いにでも気づいてください。ゆっくりと立って、少し歩いてください。

レッスンの終わり

側湾

　側湾というのは背骨の湾曲が左か右にずれていることです。実質的には誰にでもいくらか側湾がありますが、圧倒的大多数の人にとっては測れないほどわずかなものです。

　このわずかな側湾の原因は、利き手にあります。誰にでも、両手利きの人にすら、利き手がありますが、それは、好みの側の手がない完璧な両手利きでは、うまく機能しないからです。もし自動的に優先できなければ、動作を始めるときにいつでも、どちらの手で始めるか考えなければなりません。そうすると、今日の文化では動きがぎこちない程度で済むでしょうが、文明化されていない時代なら、動きの中での遅れは命取りになりかねません。動く前に、ライオンか敵対する剣士に殺されたでしょう。そんなわけで、両手利きと見なされる人々にも優先される側の手がありますが、どちらの手が優先されるかは、単純に課題によって異なります。このように利き手があるということは、左右の腕から背骨に無意識のうちにかかる圧力に差があるということです。これにより、ほとんどの人に「正常な範囲の」側湾があることに説明がつきます。

　なかには測定可能な側湾のある人々もいます。その理由は完全には明らかになっていませんが、重要なことは、それによって彼らの機能する能力に影響するかもしれないということです。一般的に、側湾は年齢とともに大きくなります。それは利き手からくる緊張のせいでもあり、中心を外れているとき力学的に重力と戦わなければならないためでもあります。なかには、側湾がとても大きくなり、動きやすさや健康さえも脅かされている人もいます。このような場合には、手術によって細い棒を挿入し、背骨を安定させます。しかし、著しい側湾のあるほとんどの人にとっては、痛みが問題です。

　機能的には、側湾は片側の肺に影響を及ぼし、短い脚と同じように作用します（第3章の脚の長さの差異についての項参照）。側湾が引き起こす問題に役立つレッスンがいくつかあります。これらのレッスンをすると、わずかな側湾がある人が、少なくとも一時的に、側湾がないかのように機能できるようになります。大部分に背骨の回旋を含むレッスンは役に立ちます。この章の最初のレッスンはそういったレッスンです。2つめのタイプのレッスンには、骨盤の動きに違いを感じることが含まれます。次のミニレッスンはそういったレッスンで、脚の長さが少し違う人々にも助けになります。

118

ミニATM：左右を均等にする

1. **立って、体の左右の側がどれくらい均等だと感じるかに気づいてください。靴を脱いで仰向けで寝てください。両脚を伸ばしてください。**背中がどのように床についているかに気づいてください。体の左右の側はどれくらい均等だと感じますか？　どちら側がより長く感じますか？　それはより自由だと感じる側ですか？　**より自由だと感じる側の踵を伸ばして、頭から遠ざけてください。**これは足首の動きではなく、股関節の動きです。ですから、はっきりと、脚全体がこの動きの中に含まれるようにしてください。骨盤がこの方向に傾いていることが感じられますか？　もし感じられなければ、股関節を動きに含めていません。この動きを5～7回くり返してください。これをするとき、ゆっくりやさしくやってください。

少し止まってください。体の左右の側が今はどのように感じられるか比べてください。

2. **今度は反対側の踵を伸ばしてください。**もう一度、股関節から動いて、骨盤がこの方向に動くようにしてください。6～8回くり返してください。くり返しの合間には、この動きをゆっくりと行なうのにかかるくらいの時間、止まってください。この動きを反対側と同じくらい楽にすることをめざしてください。それが、動きをより小さくするということなら、そうしてください。もしこの動きが難しければ、反対側の股関節を引き上げることで助けることもできます。

少し止まってください。体の左右の側を今はどのように感じるか比べてください。

3. **左右の踵を交互に伸ばしてください。**片方が伸びているとき、反対側の股関節がどのように上がってくるかを感じることはできますか？　これを利用して、両側で努力感を均等にすることができますか？　この動きを6～8回くり返してください。

少し止まってください。それから、もう2～3回、左右の踵を交互に伸ばしてください。止まっている間に、感じが変わりましたか？

やめてください。体の左右の側を今はどのように感じるか比べてください。それぞれの側でどのように呼吸しているかに気づいてください。ゆっくりと起き上がって座ってください。少しの間座って、座り方に何か変化があるか、気づいてください。ゆっ

くりと立って、立っているときに、体の左右の側を今はどのように感じるか比べてください。それから少し歩いて、これがどんな感じかに気づいてください。

レッスンの終わり

第8章

肩甲帯と腕

肩と呼吸

　肩は呼吸において重要な役割を果たします。下のイラストをご覧になれば、肩甲骨が肋骨に直接かぶさっていることがお分かりになるでしょう。肩甲骨の自由な動きは自由な呼吸に不可欠なのです。肩甲骨を保持している筋肉に少しでも締めつけがあれば、肋骨の動きと、それによって呼吸を妨げることになります。

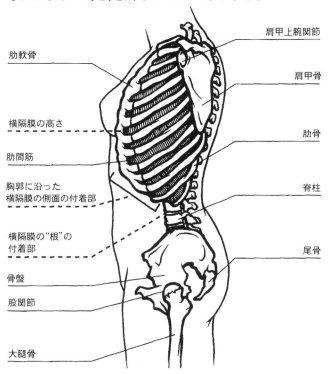

肩甲上腕関節

肋軟骨

肩甲骨

横隔膜の高さ

肋間筋

肋骨

胸郭に沿った
横隔膜の側面の付着部

脊柱

横隔膜の"根"の
付着部

尾骨

骨盤

股関節

大腿骨

　肩の筋肉組織のほとんども肋骨を覆うように付いています。とくに、後ろ側の僧帽筋、菱形筋、前鋸筋と広背筋、そして前側の胸筋が、肩甲骨を肋骨とつないでいます。明らかに、これらのエリアの締めつけや機能障害は呼吸を妨げることになります。この筋肉組織は第7章の「肋骨を自由にする」のレッスンと大いに関わっています。

　肩の筋肉は椎骨に、ほとんど背骨全部の長さにわたって付いているため、背中の問題に引っ張られて影響を受けやす

いのです。これは相互関係であり、どこかの締めつけを解放すると、あらゆるところに明確な影響をもたらします。逆に、他の関連する部分を考慮せずにある部分だけに働きかけると、問題を引き起こしかねません。予期せぬ結果を生むのです。

肩を首や腕とつないでいる筋肉は、肩を背中とつないでいる筋肉に問題を引き起こす可能性があります。これらのエリアに緊張を引き起こすものは何であれ、肩の動きや安定性に混乱をきたします。その混乱が肩に関わるすべての筋肉に伝わり、肩につながるすべての筋肉組織はその緊張を和らげるために働かなければなりません。したがって、肩に関わるどんなレッスンも、広い範囲で強い影響をもたらすことになります。

次の「腕を伸ばす」というレッスンには肩と胴体の関係が含まれますから、肩だけでなく、呼吸や背中にも大きな影響があるでしょう。

ATM：腕を伸ばす

1.　椅子の前の方に座ってください：**両腕を体の正面に（前に）肩の高さまで上げてください。**（メモ：このレッスンでは、「腕を上げる」というのは腕を前に肩の高さまで上げることを意味します。）左腕と右腕を交互に前に伸ばしてください。これを3〜4回くり返してください。それぞれの腕がどれくらい遠くまで行くかに気づいてください。右腕はどれくらい簡単ですか？　左腕はどれくらい簡単ですか？　どのように呼吸していますか？　やめて休んでください。このレッスン中に休むときは、少なくとも30秒休むことを覚えておいてください。

2.　**右腕を上げてください。腕を伸ばしたまま、右膝を前へ動かしてください。そのとき足は動かしません。**この動きは股関節から来ます。腕と肩が同じように前へ動かされていることに気づいてください。

腕を下ろしてください。右膝を前に動かして、これがどのように右肩を前へ運ぶかに気づいてください。これを6回以上くり返してください。毎回、右肩がこの動きによって動かされるとき、他のことにも気づけるでしょうか。止まってください。

同じ動きをしますが、今度はそれをするとき、頭がわずかに左へ回るにまかせてください。これにより肩の動きにどんな影響がありますか？　動き全体の楽さに、どう影響しますか？　4〜5回くり返して、くり返すたびに、より楽になるようにしてください。止まって休んでください。

3.　**左腕を上げてください。左腕を伸ばし、左膝を1回前へ動かし、それから腕を下ろしてください。**腕と肩がどのように前へ動かされるかに、もう一度、気づいてください。

　腕を下ろしたままで、左膝を前へ動かしてください。これによって、どのように左肩も前に運ばれるかに気づいてください。5回以上くり返してください。くり返すたびに、背中がどのように肩を前へ動かすかを、より感じてください。止まってください。どのように座っているかに気づいてください。

　同じ動きをしますが、今度はそれをするとき、頭がわずかに右へ回るにまかせてください。4〜5回くり返してください。止まって休んでください。

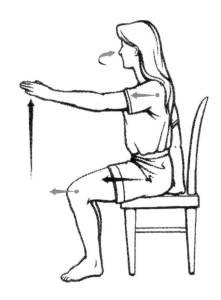

4.　**両腕を上げて、交互に2回、前へ動かしてください。腕を下ろしてください。**今は腕がどのように動くか、始めたときと比べてください。

　もう一度両腕を上げて、両膝を交互に前へ動かしてください。そのとき頭が、前へ行く膝とは反対の方向にわずかに回るにまかせてください。3回くり返して、腕を下ろし、止まってください。

　両腕を上げて、もう一度、腕を交互に2回、前へ動かしてください。今はどのように動きますか？　どれくらい心地よく、どれくらい遠くまで行きますか？　前と比べてください。止まって休んでください。

これがこのモジュールの終わりです。このレッスン全部を一度でできない場合、
ここでやめるのが妥当です。ステップ5から再び始めてください。

5.　どのように呼吸しているかに気づいてください。**左腕を（前へ肩の高さまで）上げて
ください。息を吸って、左膝を前へ動かしてください。この動きをするとき、頭が右
へ回るにまかせてください。4〜5回くり返してください。**

**今度は、左腕と左膝を前へ動かすとき、息を吐いてください。3〜4回くり返してく
ださい。**息を吸いながらこの動きをやるときと比べて、これはより簡単ですか、それ
ともより難しいですか？

この同じ動きを2回、呼吸を止めながら試してください。これは呼吸と腕の動きにつ
いて何を教えてくれるでしょうか？　あなたが仕事や演奏、その他どんな課題をする
間も、呼吸は不可欠なのです。何らかの課題を行なうとき、しばしば呼吸を止めてい
るなら、確実に、とくに肩や肘、手首に問題を抱えることになるでしょう。肩甲骨は
上部肋骨を覆うようについています。肩の筋肉の多くが肋骨を覆うように広がってい
ます。もし呼吸が弱められたら、肩の動きも弱められます。同様に、肩に関係する問
題は呼吸を不利にします（これがあなたに当てはまるなら、このレッスンが終わった
後に、第6章の呼吸のレッスンのうちの1つを試してください）。止まって少し休ん
でください。

6.　**右腕を上げてください。右膝を前へ動かし、頭が動くにまかせてください。**どのよう
に呼吸しましたか？

この動きを続けますが、するときに息を吸ってください。4回くり返してください。
毎回、呼吸をもう少し統合できるでしょうか。腕を上げたままで止まってください。

同じ動きをして呼吸を止めてください。これを2回やり終えた後、動きをするときに
息を吸うことを再開してください。この前の動きを2回くり返し、それから腕を下ろ
して休んでください。

**右腕を上げ、息を吐くときに右膝を前へ動かしてください。4回くり返してくださ
い。**これは、左側でやったのと同じくらい、動きを妨げますか？

動きを続けますが、前へ動くときに息を吸ってください。4回くり返してください。動きの簡単さも範囲も、どれくらい違うかに気づいてください。止まってください。

7.　両腕を上げてください。片方の膝を動かし、それから反対の膝を動かすことを交互にやってください。中心から遠ざかって動くときに息を吸い、中心に向かって動くときに息を吐いてください。このように5～6回行ったり来たりしてください。止まって、腕を下ろして休んでください。

両腕を上げて、もう一度、両膝を交互に、行ったり来たりして動かしてください。もし呼吸を止めたら動きに何が起きるか見てください。必要なときに呼吸をしながら、4～5回くり返してください。休んでください。

8.　両腕を上げて、左右の膝を交互に前へ動かしてください。呼吸はどうしていますか？4回くり返してください。

片方の腕を下ろし、反対の膝を前に動かしてください。4回くり返して休んでください。始めたときと比べて今はどうなったかに気づいてください。呼吸はどうしていますか？

今度は反対の腕を上げて、反対の膝を前へ何度か動かしてください。止まって休んでください。今どんな感じかに気づいてください。どのように呼吸していますか？

これがこのモジュールの終わりです。このレッスン全部を一度でできない場合、
ここでやめるのが妥当です。ステップ9から再び始めてください。

9.　右腕を（前へ肩の高さまで）上げて、膝を動かさずに腕を前へ動かしてください。頭は動かしましたか？　頭を動かさずに4回くり返してください。腕を下ろして止まってください。

もう一度右腕を上げて、この前の動きをくり返しますが、それをするとき頭が左へ回るにまかせてください。4回くり返して、それから腕を下ろして休んでください。

10. **左腕を上げて、膝を動かさずに腕を前へ動かしてください。頭を動かしましたか？**
頭が動くにまかせて、この動きを5〜6回くり返してください。毎回、動きをよりやさしくできるでしょうか。止まって休んでください。

    動きを再開して、最初は腕を伸ばすとき息を吸いながら、その次にするときは腕を後ろへ戻すときに息を吸いながらやってください。 どちらの動きで呼吸がしやすくなるか、はっきりするまで、くり返してください。止まって休んでください。

11. **右腕を上げて、肩を後ろに動かしてください。** 5〜6回くり返して、それから腕を下ろして休んでください。

    右腕を上げて、肩を前後に動かしてください。 この動きとともに頭が動くにまかせてください。4〜5回くり返してください。止まって休んでください。

12. **左腕を上げて、肩を後ろに動かしてください。** 4〜5回くり返して、それから腕を下ろして休んでください。

    左腕を上げて、肩を前後に動かしてください。 この動きとともに頭が動くにまかせてください。4〜5回くり返してください。腕を下ろして休んでください。

    両腕を上げて、交互に伸ばしてください。これを2〜3回やってください。 このモジュールの動きから何が変わったかがはっきりするように、注意を払ってください。

これがこのモジュールの終わりです。このレッスン全部を一度でできない場合、
ここでやめるのが妥当です。ステップ13から再び始めてください。

---

13. **右腕を（肩の高さで前へ）上げてください。右の膝と肩を両方とも動かしながら、腕を前へ動かしてください。** この組み合わせの動きを少なくとも8回くり返してください。

    この動きをするとき、骨盤でリードするのと肩でリードするのとの違いを探ってください。止まって休んでください。

14. **左腕を上げてください。骨盤でリードしながら（膝が前へ動きます）、左腕を前へ動**

かしてください。それから肩の動きを加えてください。4回くり返してください。それから腕を下ろしてください。止まって休んでください。

もう一度腕を上げて、今度は肩でリードしながら、腕を前へ動かしてください。4回くり返して、少し止まってください。

今度は、腕を前へ動かし、骨盤でリードするのと肩でリードするのを組み合わせて、この動きをするのに一番効果的な方法を見つけることをめざしてください。止まって休んでください。

15.　右腕を上げてください。右肩を後ろに動かす間に、右膝を前へ動かしてください。3〜4回くり返してください。

ニュートラルの（前でも後ろでもない中立の）位置で止まって、これを逆にしてください。つまり、左膝が前へ行く間に、右肩を前へ動かしてください。4〜5回くり返して、それから腕を下ろして休んでください。

右腕を上げて肩から前後に動かして、その間に膝は反対に動かしてください。緊張しないように注意深く、4〜5回くり返してください。腕を下ろして休んでください。

16.　左腕を上げてください。左肩を後ろに動かす間に、左膝を前へ動かすことを2回やってください。それから、左腕を肩から前へ動かす間に、右膝を前へ動かしてください。腕を下ろして少し止まってください。

左腕を上げて、肩を膝と逆に動かしてください。4回くり返してください。

今度は肩と膝といっしょに腕を動かしてください。違いに気づきながら、4〜5回くり返してください。止まって休んでください。

17.　右腕を上げて、肩と膝の両方といっしょに前へ動かしてください。3〜4回くり返してください。これは今どんな感じですか？　腕を下ろして少し止まってください。

両腕を上げてください。左右の腕を交互に前へ動かしてください。何度かくり返してください。
この前にやったときとの違いに気づいてください。この動きに、あなたの体のどれく

らい多くの部分が含まれていると感じますか？　腕を下ろして休んでください。立ち上がり、少し歩き回ってください。腕が今はどのように動くかに気づいてください。

肩の緊張

　肩が非常に緊張している人々はよく、まるで肩が耳の中にあるように感じる、とこぼします。実際に彼らの肩は上がっています。

　肩を持ち上げて緊張させたままにするのは、人生で緊張する場面での習慣的な反応なのかもしれません。あるいは、その人の仕事の種類によるかもしれません。机でたくさん書く仕事をする人は、肩が上がったままにする傾向があります。この肩が上がった状態は、その人がもう机で仕事をしていないときですら、しつこく残ることがあります。あるいはまた、まずい姿勢に対する反応として、肩を持ち上げているのかもしれません。なかには、肩でまっすぐな姿勢を保とうとしているかのような人もいます。

　原因が何であれ、肩を持ち上げているのは歌い手にとって妨げになります。その他の肩の機能障害と同じく、呼吸を妨げ、さらには喉を制限し、ひょっとすると顎の問題を引き起こすかもしれません（第9章のレッスンの1つは、徹底的にこれらの関係を探ります）。とくにこの肩の問題は、結果として首や後頭部（頭蓋骨の後ろ）につながる筋肉を締めつけるため、喉が開いた状態に保つのがより難しくなります。また間接的に顎を引っ張ることになるかもしれません。

　次のレッスンは肩を「下げる」ことを意図しています。やってみる前に、どうぞ2番目の動きに対する指示を2回読んでください。肩をまっすぐ上げる動きは、腕の前へ上への動きと混同しやすい人もいます。

ATM：肩を緩める

1.　椅子の前の方に座ってください。**頭を左右に何度か回してください。**どれくらい遠くまで回るかに気づいてください。どれくらい楽に頭が動きますか？　どこか動きにくいところに気づきますか？　止まってください。

　　2〜3回、口を開けたり閉じたりしてください。もう一度、どれくらい開けられるか、

この動きがどれくらい楽かに気づいてください。止まってください。

2.　左手で、右腕の肘のすぐ上のあたりを持ってください。左手で、やさしく右の腕と肩をまっすぐ上へ上げて、肩で動きがしにくくなるか、それ以上行けないと感じるところまで行ってください。肩は首と平行に上がり、腕は胴体に対して平行なままです。これは小さな動きであり、7〜10センチメートル以上は行きません。これを3回くり返してください。止まって体の左側と右側を比べてください。

　左手を放し、右腕の筋肉だけを使って、前と同じやり方で右腕を持ち上げてください。腕を下ろすときは、ドサッと落とさず、ゆっくりとコントロールしながら力を緩めて下ろしてください。3回くり返して、止まってください。

3.　右手で、左腕の肘のすぐ上のあたりを持ってください。右腕を使いながら、やさしく左腕を上げてください。動きがしにくくなるか、それ以上行けないと感じるところまで行ってください。これを3回くり返してください。肩はやはり胴体と平行に動きます。

　それから右手を離し、さっきと同じやり方で、左腕の力だけで左腕を持ち上げてください。3回くり返してください。止まって体の左側と右側を比べてください。

4.　頭を何度か左右に回してください。今は頭がどのように動きますか？　何が変わったかに気づいてください。同じままでしたか？　今は背中のどれくらい下の方まで、この動きを感じることができますか？

口を何度か開けたり閉じたりしてください。もう一度、違いをチェックしてください。止まってください。

これがこのモジュールの終わりです。このレッスン全部を一度でできない場合、
ここでやめるのが妥当です。ステップ5から再び始めてください。

---

5. 右手で拳をつくってください。ゆっくりと右腕を上げて（ステップ2でやったように）、動きがしにくくなるか、それ以上行けないところまで行ってください。（これ以降は、腕を上げるとき、ここが持ち上げるのをやめて下ろし始める地点です。）やさしく腕を下ろしながら、拳を開いてください。これを4回くり返してください。止まってください。

6. 左手で拳をつくってください。ゆっくりと腕を上げて（ステップ3でやったように）、それから、腕をやさしく下ろしながら、拳を開いてください。これを4回くり返してください。止まってください。

   頭を左右に2回、回してください。今はどんな感じですか？

7. 左腕を上げながら、口を開けてください。左腕を下ろすとき、口を閉じてください。4回くり返してください。止まってください。

8. 口を開けるときに右腕を上げてください。右腕を下ろすときに口を閉じてください。4回くり返してください。止まってください。

   頭を何度か左右に回してください。今はどんな感じですか？

   2～3回、口を開けたり閉じたりしてください。これは今、どんな感じですか？　止まってください。

これがこのモジュールの終わりです。このレッスン全部を一度でできない場合、
ここでやめるのが妥当です。ステップ9から再び始めてください。

9.　頭を右に3〜4センチメートル回してください。右腕を回転させて、手が外を向くようにしてください。今度は顎を開くとき、肩を持ち上げてください。右腕を下ろすとき、口を閉じながら、腕を回転させて元の位置に戻してください。これを4回くり返してください。これが、とてもやさしく、ゆっくりした動きになるようにしてください。動きと動きの間に、少なくとも、一連の動き全部をするのにかかるくらいの時間をとってください。このセグメントではすべての動きで、一連の動きの間にこれくらいの時間をとってください。頭を真ん中に戻して止まってください。

10.　もう一度、頭を右に3〜4センチメートル回してください。今度は右腕を反対向きに回転させて、手が外を向くようにします。もう一度、顎が開くときに右肩を持ち上げて、顎が閉じるときに回転させて戻して腕を下ろしてください。これを3回くり返してください。止まって、体の左右を比べてください。

11.　頭を左に3〜4センチメートル回してください。左腕を回転させて、手が外を向くようにします。もう一度、顎を開くときに左肩を持ち上げてください。左腕を下ろすときに回転させて元の位置に戻し、口を閉じてください。これを4回くり返してください。止まって、体の左右を比べてください。

12.　もう一度、頭を左に3〜4センチメートル回してください。今度は左腕を反対向きに回転させ、手を外に向けます。顎が開くときに肩を持ち上げ、顎が閉じるときに左腕を回転させて戻し、下ろしてください。これを3回くり返してください。頭を左右に何度か回してください。今は頭がどのように動きますか？　体のどれくらい多くの部分が動いているか、あるいは、この動きに反応しているかに気づいていますか？

口を2〜3回、開けたり閉じたりしてください。これが今はどうですか？　やめて少し休んでください。

ゆっくりと立ち上がってください。少し歩いて、これがどんな感じかに気づいてください。とくに、歩くときに腕がどのように動くかに、注意を向けてください。

レッスンの終わり

第9章

頭と首

頭の位置

　頭は、口、舌、副鼻腔、脳、目、耳、鼻から成り、首の７つの椎骨（頸椎）の上でバランスをとっています。首は背骨の一番上の部分で、腰椎と同じ方向にカーブしており、胸椎のカーブとは逆方向です。背骨の基部にあるのは骨盤であり、頭と同じく比較的重いです。頭と骨盤はどちらも大きく、相関する位置にあるため、反対方向に動く傾向があります。頭を前へ動かすと骨盤は後ろへ行き、その逆もまた同様です。

　頭は首の上でバランスをとらなければなりませんが、首は頭と比べてデリケートです。歌うことにおいて喉と喉頭は非常に重要ですから、頭と首のバランスがまずいと声を詰まらせがちになります。頭は首の上で上下、左右に自由に回るべきです。これらの動きがある程度以上に制限されると、声の響きが損なわれることになります。この第9章のレッスンは、頭と首に自由で楽な動きをもたらすことを意図しています。

首を痛める、まずい起き方 VS 良い起き方

　人はよく、寝た姿勢から起き上がって座るときに、首の筋肉を使って頭をまっすぐに持ち上げるという、有害でまずいやり方で頭と首を使います。首の筋肉は割合に弱く、頭を持ち上げるのには物理的な利点はほとんどありません。その結果、習慣的に頭をこのように持ち上げる人は、ゆくゆくは首に不快感を覚えるか首が凝る羽目になります。起き上がるのにも、頭をまっすぐ持ち上げるのにも、もっと良いやり方があります。

　起き上がるのに望ましいやり方は、両膝を曲げ、横に転がり、止まることなく、半円を描くように頭を動かしながら起き上がることです。このやり方は、両脚が下に行く勢いを利用して、頭が持ち上がるのを助けます。そして、起き上がるために円を描くように頭と背中を

動かすと、まっすぐに起き上がる直線的な動きに比べ、必然的により多くの筋肉が使われると同時に、筋肉組織の負荷の最大値が下がります。

　仰向けに寝た状態から安全に頭をまっすぐ持ち上げるためには、まず胸骨を押し下げます。これにより、頭を持ち上げるのに首の筋肉だけを使うのに比べ、梃子の力がずっと大きくなります。また、より多くの筋肉組織を動員することになり、首の筋肉にかかる負荷が減ります。これを試したい場合は、寝て膝を曲げ、足裏を床につけてください。それから手で胸骨の下の方を2〜3回、下に押し下げてください。これによって首が自由になるのが感じられますか？　このつながりを感じた後で、押し下げるのと同時に頭を持ち上げてください。これが簡単になったら、頭を持ち上げるときに手の助けなしで胸骨を押し下げてください。このやり方でどれほど頭がより楽に持ち上がるか、感じられますか？　もし感じられなければ、首の筋肉だけで持ち上げてみて、違いを見るために、胸骨を押し下げながら持ち上げることを繰り返してください。

頭の位置がバランスの鍵

　頭の位置は、バランスを維持する上で鍵となる要素です。頭は比較的重く、また私たちの体の最も高いところにありますから、最適な状態から少しずれただけでもバランスを損なうのです。

　自分で気づくために、立ち上がってください。それから頭を2〜3センチメートル、つまり人差し指の先から第一関節までくらいの距離、後ろに動かしてください。背中が緊張し、まるで後ろに倒れかかっているように感じていることに気づくでしょう。

　バランスのまずい人はよく、頭でとても奇妙なことをします。転倒の恐怖への反応で、足の方を見下ろすのです。地面が見えやすくなることで、より安全な感じがしますが、同時に、頭と胴体が前に傾くことでより倒れそうになります。ですから、きちんと頭のバランスをとることを学ぶこと、そして、姿勢がまずいときに自分で気づけることも重要なのです。

　次のレッスンで、頭と骨盤の関係が明らかになるでしょう。また、頭の位置を最適に近づける助けにもなります。この最適な位置の感覚が自分のものになれば、その位置から外れているときに分かるようになり、最適な位置に戻るための道具を手に入れたことになります。

ATM：頭と骨盤を関係づける

1.　固い平らな座面の椅子に座ってください。**やさしく頭を後ろに傾け（首を反らせて）、それから頭を下げて、顎先が胸骨に向かっていくようにしてください。**心地よくできる範囲だけ行ってください。**力ずくで頭を後ろにやったり、顎を胸骨に押しつけたりしないでください。**あなたの心地よい範囲がどれくらいかを、ただ感じるだけです。この動きを2回くり返してください。少し止まってください。

今度は骨盤を前後に揺らし始めて、背中が丸くなったり反ったりするようにしてください。これを3回やってください。必ず、骨盤でこの動きをリードするようにします。止まって少しの間休んでください。

2.　ゆっくりと頭を左右に何度か回してください。それぞれの方向に、どれくらい遠くまで回りますか？　頭を回すのはどれくらい簡単ですか？

右のお尻をわずかに持ち上げてください。右側を持ち上げることでこれをしましたか、それとも左のお尻を通して体重を下にかけることでしましたか？　左のお尻を通して体重を下にかけることに焦点を当てながら、右のお尻をもう2回持ち上げてください。止まって休んでください。

今度は、右のお尻を通して体重を下にかけることに焦点を当てながら、左のお尻を3回わずかに持ち上げてください。やめて休んでください。今どのように座っているかに気づいてください。体重はどのように配分されていますか？　頭がどれくらい重いと感じますか？

3.　ゆっくりと骨盤を前に揺らして、頭を上に傾けるとき背中を反らしてください。4回くり返して、毎回の動きの後には、その動きをするのにかかるくらいの時間、止まってください。骨盤でリードしましたか、それとも頭でリードしましたか？

この動きをくり返して、リードする場所を交代してください。これはどんな感じでしたか？　選択の余地があるとき、なぜ力強い骨盤の筋肉でリードする方が望ましいか、もう分かりましたか？

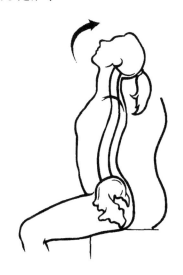

骨盤でリードしながら、ゆっくりと背中を丸くして頭で下を見てください（首を丸くしてください）。これを３回くり返してください。少し止まってください。

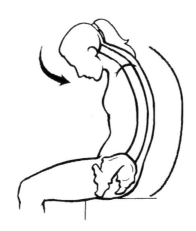

今度はこの２つの動きを組み合わせて、見上げたり見下ろしたりするときに、骨盤を前後に揺らしてください。ゆっくりと行って、これを、頭と骨盤が同時にそれぞれの範囲で動く、統合された動きにできるでしょうか。４回くり返してください。今どのように座っているか感じてください。今は思考のパターンがどんな感じですか？（どれくらい思考が邪魔しているか、どれくらい絶え間なく考えが浮かぶか、などに注意を向けてください。ATMレッスンをしていると心が静まってくることがよくあります。）

4. 　**右のお尻を持ち上げるときに、頭を左へ回してください。**右のお尻を持ち上げるために、体重が左のお尻を通して下にかかるという感覚を持ちながら、これを４回くり返してください。

　　では、左のお尻が上がるときに、頭を右へ回してください。この動きをするとき胸はどうなりますか？　この動きをもう４回くり返してください。少し止まってください。

　　これらの動きを組み合わせて、左右それぞれのお尻が上がるとき、頭が反対側へ行くようにしてください。これがスムーズで簡単だと感じられるまで、３〜５回くり返してください。休んでください。

　　頭を真ん中に置いて、頭と骨盤を２回、上げたり下げたりしてください。今は、どんな感じですか？

これがこのモジュールの終わりです。このレッスン全部を一度でできない場合、
ここでやめるのが妥当です。ステップ5から再び始めてください。

5.　前の方に座って、呼吸に気づいてください。**骨盤でリードしながら、首と骨盤を反らしたり丸くしたりしてください。**頭が上へ行くとき息を吸い、頭が下へ行くとき息を吐く傾向があることに気づいてください。**わざと、頭が上がるときに息を吸い、頭が下るとき息を吐いてください。**この組み合わせをもう3～4回くり返してください。止まってください。

　　では首と骨盤を反らしたり丸くしたりして、そうするときにどのように呼吸しているかに気づいてください。少し止まってください。

6.　**もう一度、首と骨盤を反らしたり丸くしたりしますが、今回は頭を下げるときに息を吸って、頭を上げるときに息を吐いてください。**これを4回以上くり返して、いくらか自然に感じられるようになるまでやってください。止まってください。

　　今度は、わざと呼吸を変えることなく、首と骨盤を反らしたり丸くしたりしてください。始めたときと比べて、どんな感じですか？　呼吸はどうしていますか？　少し止まってください。

7.　**頭を約5センチメートル、左へ回してください。頭をこの位置に置いたまま、首と骨盤を反らしたり丸くしたりしてください**（頭と骨盤を使いながら上を見たり下を見たりしてください）。これを4～5回くり返してください。止まってください。

　　頭を左右に回して、それぞれの方向にどれくらい楽に遠くまで行くか、比べてください。止まってください。

8.　**頭を約7センチメートル、右へ回してください。頭をこの位置に置いたまま、頭と骨盤を上げたり下げたりしてください。**これを4～5回くり返してください。

　　頭を左右に回してください。今は頭が、それぞれの方向にどのように行くか比べてください。

頭を真ん中に置いて、頭と骨盤を反らしたり丸くしたり、2回やってください。今は
これがどんな感じですか？

これがこのモジュールの終わりです。このレッスン全部を一度でできない場合、
ここでやめるのが妥当です。ステップ9から再び始めてください。

9.　　椅子の前の方に座ってください。頭を約5センチメートル左へ回すのと、首と骨盤を
　　　反らせるのを、同時にやってください。これを4回くり返してください。毎回、より
　　　スムーズに、より連続的なやり方でこれをできるでしょうか。ニュートラルの（上で
　　　も下でもなく、右でも左でもない中立な）位置に戻ってくるときも、上へ行くときと同じ
　　　ように意識しながらスムーズにやってください。

　　　では同様の動きを下へ行きながらしてください（頭を左へ回しながら、首と骨盤を丸くし
　　　てください）。これを3〜4回、スムーズにくり返してください。止まってください。

10.　　頭を左右に回してください。どうですか？　頭を約5センチメートル右へ回すのと、
　　　首と骨盤を反らせるのを、同時にやってください。これを4回くり返してください。
　　　ここでも、毎回この動きをよりスムーズにする方法を見つけられるでしょうか。止
　　　まってください。

　　　では同様の動きを下へ行きながらしてください。これを3〜4回、スムーズにくり返
　　　してください。止まってください。

11.　　頭を右へ約5センチメートル回しながら上を見て、それから戻ってニュートラルを通
　　　り、もう一度、頭を右へ約5センチメートル回しながら下を見てください。これを4
　　　〜5回くり返して、それから少し休んでください。

　　　では頭を左右に回して、前と比べてください。

12.　　頭を左へ約5センチメートル回しながら上を見て、それから戻ってニュートラルを通
　　　り、もう一度、頭を約5センチメートル左に回しながら下を見てください。これは右
　　　へ描いた円弧と同じくらいスムーズですか？　毎回の動きの後に止まって、機械的な
　　　感じにならないようにしながら、3〜4回くり返してください。

もう一度、頭を左右に回してください。この前にやったときから何か変わりましたか？

頭と骨盤で上を見たり下を見たりして、これがどんな感じか見てください。止まってください。

これがこのモジュールの終わりです。このレッスン全部を一度でできない場合、
ここでやめるのが妥当です。ステップ13から再び始めてください。

---

13. 頭と骨盤で上を見たり下を見たりしてください。楽な範囲でとどまっていましたか？
　どれくらい遠くまで行きましたか？　どれくらい努力しましたか？

　今度は、背中を丸くするときに、頭で上を見てください。これが難しければ、星を見ることを想像してください。これが楽に感じられるまで、4回以上くり返してください。止まってください。

　背中を反らすときに、頭で下を見て（首を丸くして）ください。4回くり返して、少し止まってください。

14. 頭で上を見たり下を見たりして、そのとき骨盤が反対方向に動くようにしてください。つまり、前の2つの動きを組み合わせます。これを3〜4回くり返してください。より普通に感じられますか？

　では、頭と骨盤で同時に見上げたり見下ろしたりする動きに戻って、もう2〜3回やってください。これが今はどんな感じですか？　止まってください。

15. 右のお尻を持ち上げるとき（体重を左のお尻を通して下にかけることによって）右を見てください。これがとても心地よく感じられるまで、4〜6回くり返してください。止まってください。

　今度は、左のお尻が上がるとき左を見てください。3〜4回くり返して、少し止まってください。

これらの動きを組み合わせて、左のお尻が上がるとき頭が左へ行くように、それから右のお尻が上がるとき頭が右へ行くようにしてください。4回くり返してください。では頭を左右に回して、頭がどれくらい楽に遠くまで回るかを見てください。止まって少し休んでください。

16. **背中を丸くしたり反らせたりしてください。これを、始めたときと比べてください。**とくに、動きの始まりが骨盤であることが、どれくらいはっきりしたでしょうか？動きがどんなにうまく背骨を通って伝わりますか？　少し止まってください。

   最後にもう一度、首と骨盤を反らしたり丸くしたりしてください。今はどんな感じですか？　この動きが違うと感じられることを3つ考えてください（たとえば、背中を丸くするのが簡単になった、体重移動をよりはっきり感じられる、体のより多くの部分を使っていることに気づいた、など）。この動きにおける骨盤の役割にどれくらい気づきましたか？　まっすぐ座ることにおいては？　今はどれくらいまっすぐ座っていますか？頭と首がどれくらい自由だと感じますか？　立ち上がって、立っているとき、どれくらい背が高いか、どれくらい首が自由だと感じるかに注意を向けてください。少し母音で歌ってみて、これがどんな感じかに気づいてください。それから歩いて、どう感じるかに気づいてください。

レッスンの終わり

発声における頭の役割

間違った頭の位置の例

　頭の位置の重要性は過小評価されるべきではありません。頭が背骨の上でバランスをとっているときの位置は、発声の自由さにとって決定的です。

　間違った頭の位置の表れとしてよく知られているものには、次のようなものがあります。頭を上に伸ばし、高音に到達するために体を緊張させること。顎先を上に突き出した状態で頭を後ろに傾けて保つこと、あるいはその反対に、（響きを暗くする、または深くするために）顎先を引き込んで頭を下へ傾けること。亀のように、あるいは馬がニンジンに向かって鼻を伸ばすように、頭を前に突き出すこと、などです。

　これらの姿勢のどれもが「その音に届く」あるいは「声を送り出す」ためと思われていますが、逆効果です。発声を完全なものにするためには、喉頭（発声器官）が自由にさまざ

な複雑な配置をとる必要がありますが、それを妨げてしまうのです。

　発声を妨害する強い影響は容易に感じることができます。わざと頭全体を首から離れるように持ち上げてください。肩や首、喉に生じる緊張を感じますか？　今度は顎先を突き出して、首、とくに喉頭の周りと、首の後ろの筋肉が制限されるのを感じてください。次に顎先を引っ込めて、緊張でどれくらい肩と首の筋肉が制限されるかを感じてください。今度は顎を固くして話そうとしてください。下顎を前へ押し出して（ひどい受け口であるかのように）、しゃべってみようとしてください。結果として声の響きがどうなったかを観察し、緊張しているエリアを感じてください。（肩、首、顎、舌、顔の筋肉の相互関係についてのさらなる議論は第10章参照）

頭は首の上で、自由に楽にバランスをとる

　では、「私の頭は、首の上で自由に楽にバランスをとるべきだ、箒の柄の上で逆さまになった円錐のように」と言いながら、これらの姿勢を試してください。[訳注] その感じとしゃべる声の響きに気づいてください。これらの姿勢は歌う声にも同じく大きな影響を与えます。

　次のレッスンは顎と首と肩を関連づけます。これにより、なぜ肩に緊張があると歌いにくくなるかが明らかになるでしょう。また首と顎のつながりもはっきりするでしょう。しかし最も重要なことは、3つすべてを自由にする助けになることです。その過程で、発音がより明瞭になり、声を前にはっきりと出す能力が向上するでしょう。

ATM：肩と首と顎を関係づける

　このレッスンは床でやっても椅子でやってもかまいません。さまざまな場所で使いやすいように、ここでは椅子のためのやり方を紹介します。床の上でやる場合は、仰向けに寝て、両脚を曲げて足裏を床につけて動きをし、休むときには両脚を伸ばしてください。

1.　椅子の前の方に座ってください。2～3回、口を開けたり閉じたりしてください。これをするのに、どれくらい力がいるかに気づいてください。これはどれくらい心地よいですか？

　　やさしく右肩を前へ動かし、始めた地点に戻してください。これを4～6回くり返してください。毎回、この動きをするときに、力を減らすようにしてください。

　　左手を額に置き、腕で頭を左へ3～5センチメートル回し始めてください。あと4～6回くり返してください。止まってください。

2.　もう一度、左手を額に置いてください。右肩を前へ動かすときに、頭を左へ３〜５セ
ンチメートル回してください。３〜４回くり返してください。

　　　この動きを続けますが、左手を外して、頭の動きが首の筋肉によってもたらされるよ
うにしてください。これを４〜６回くり返してください。止まってください。左側と
右側の感じ方を比べてください。何か違いに気づきますか？

3.　やさしく左肩を前に少し動かして、それから始めた地点に戻してください。これを４
〜６回くり返してください。始めた地点に戻る動きが、とてもやわらかく、ゆっくり
で、リラックスしたものになるようにしてください。この動きに背中がどれだけ関
わっているかを感じてください。

　　　右手を額に置いて、腕だけを使いながら、頭を右へ３〜５センチメートル動かし、そ
れからまた戻してください。３〜４回くり返して、それから休んでください。

4.　右手を額に置いてください。左肩を前へ動かすときに、腕を使いながら、頭を右へ３
〜５センチメートル動かしてください。この動きを３〜４回くり返して、次の指示を
加えて続けてください。

　　　この動きを続けるとき、右手を外して、首の動きが首と肩の筋肉から来るようにして
ください。この動きをしている間、頭が肩をリードしますか、それともその逆です
か？　この動きを首の筋肉で始めているか、それとも肩の筋肉で始めているかがはっ
きりするまで、４回以上くり返してください。休んでください。

これがこのモジュールの終わりです。このレッスン全部を一度でできない場合、
ここでやめるのが妥当です。ステップ５から再び始めてください。

5.　椅子の前の方に座ってください。ゆっくりとやさしく、何度か口を開けたり閉じたりし
てください。口を開けるときに、右肩を前へやる動きを加えてください。肩が元の位置
に戻るとき、口を閉じてください。この組み合わせを６〜８回くり返してください。こ
の動きをするたびに、よりやさしくすることをめざしてください。止まってください。

6.　左手を額に置いて、頭を左へ一度回してください。この動きを続けますが、次の動き

を加えてください。頭を左へ動かすときに口を開け、頭が真ん中に戻ったときに口を閉じてください。4〜6回くり返してください。手を下ろして止まってください。

では、口を開けることと、頭を左に回すことと、右肩を前へ動かすことを組み合わせてください。5〜7回くり返してください。止まって、体の左側と右側を比べてください。

7. 口を開けるときに左肩を前へ動かし、肩が元の位置に戻るときに口を閉じてください。4〜6回くり返してください。

右手を額に置いて、口を開けるときに、頭を右に動かしてください。これが楽でリラックスした感じになるまで、4〜7回くり返してください。止まって、手を下ろしてください。

8. 今度は、左肩が前へ動き、頭を右へ回すときに、口を開けてください。この動きの組み合わせを4〜6回くり返してください。止まって、体の左側と右側を比べてください。

口を開けて右肩を前へ動かすとき、頭を左へ動かしてください。そして口を閉じ、右肩が元の位置に戻るときに、頭が真ん中に戻るようにしてください。それから、左肩が前へ動いて口を開けている間に、頭を、真ん中を通って右へ動かしてください。元の位置に戻ってください。この組み合わせを3〜4回くり返してください。止まって、今の体の左右を比べてください。

これがこのモジュールの終わりです。このレッスン全部を一度でできない場合、ここでやめるのが論理的です。ステップ9から再び始めてください。

---

9. 椅子の前の方に座ってください。左手を額に置いて、右肩を前へ動かすときに頭を右へ回してください。この動きを4〜6回くり返してください。

この組み合わせを続けますが、次の動きを加えてください。頭を真ん中に向かって動かすときに口を開け、頭を右へ動かすときに口を閉じてください。この組み合わせが心地よく感じられるまで、少なくとも5回くり返してください。この動きをするのが心地よく感じられなければ、動きの範囲を小さくすることを忘れないでください。止まって左右を比べてください。

10. 右手を額に置いて、左肩を前へ動かすときに頭を左へ回してください。この動きを4
　　　〜6回くり返してください。

　　　この組み合わせを続けてください。頭を真ん中に向かって動かすときに口を開け、頭
　　　を左へ動かすときに口を閉じてください。これが心地よく感じられるまで、あるいは
　　　少なくとも3回くり返してください。止まってください。

11. 口を開けるときに頭を左へ回して、右肩を前へ動かしてください。真ん中に戻ると
　　　き、右へ動き続けて、口を開け、左肩を前へ動かしてください。5〜7回くり返して、
　　　それから止まってください。

12. 右肩を何度か前へ動かしてください。今はどんな感じですか？

　　　今度は左肩を前へ動かして、どう感じるかに気づいてください。頭を左右に動かして
　　　ください。3回くり返してください。今はどれくらい遠くまで頭が回りますか？　ど
　　　れくらい簡単ですか？

　　　口を何度か開けたり閉じたりしてください。どれくらい楽ですか？　顎と肩のつなが
　　　りを感じることができますか？　止まってください。

　　　これがこのモジュールの終わりです。このレッスン全部を一度でできない場合、
　　　　　　ここでやめるのが妥当です。ステップ13から再び始めてください。

---

13. 右肩を少し後ろへ動かしてください。背中と首と両方へのつながりを感じながら、こ
　　　れをやさしくやってください。3〜4回くり返してください。

　　　では、右肩が後ろへ行く動きに、右への頭の動きを加えてください。4回くり返して、
　　　止まってください。

14. 口を開けることと、肩と頭を右に動かす動きを組み合わせてください。真ん中に戻る
　　　ときに口を閉じてください。くり返すたびに、動きが柔らかくなるようにしながら、
　　　4〜6回くり返してください。止まってください。

15.　左肩を少し後ろへ動かしてください。3〜4回くり返してください。

　　　今度は、左肩をわずかに後ろへ動かすときに、頭を左へ動かしてください。4回くり返して、止まってください。

　　　最後に、左肩を後ろに、頭を左へ動かすときに、口を開けてください。4〜6回くり返して、止まってください。

16.　口を開けて左肩を前へ動かすときに、頭を右に回してください。真ん中に戻ってくるとき、左への動きを続けて、口を開き、左肩を前へ動かしてください。5〜7回くり返して、それから止まってください。

17.　右肩を何度か前へ動かしてください。今はどんな感じですか？

　　　では左肩を前へ動かして、どんな感じかに気づいてください。頭を左右に動かしてください。3回くり返してください。今はどれくらい遠くまで頭が回りますか？　どれくらい簡単ですか？

　　　口を何度か開けたり閉じたりしてください。どれくらい簡単ですか？　顎と肩のつながりを感じることができますか？　やめてください。ゆっくりと立ち上がってください。立っているときにどう感じるかに気づいてください。少し歩いて、これがどんな感じかに気づいてください。

レッスンの終わり

頭痛

　頭痛で圧倒的に多いのは、緊張型の頭痛です。これは緊張で首の筋肉がきつく締めつけられ、脳への血流が制限されるときに起きます。他にも頭痛の原因はたくさんありますが、なかでも最もよくあるのは副鼻腔の問題と眼精疲労です。目より下の副鼻腔のあたりを押すととても痛かったり、あるいは頭を下げて下を見ると頭痛が著しく悪化したりするなら、おそらく副鼻洞性頭痛でしょう。よく知られる頭痛のうちで最も悪質なのは片頭痛です。片頭痛

になると何日にもわたって体が弱ります。頭痛の原因のなかには、卒中や脳の動脈瘤や腫瘍など、生命を脅かすものもあります。ですから、突然起きて治まらない耐えがたい頭痛、あるいは明らかな理由もなくくり返し起きる頭痛は医学的な問題であり、ただちに医師に診てもらうべきです。

　次のミニレッスンは、緊張型の頭痛を和らげるのに素晴らしいものです。片頭痛の場合でも、もしこのレッスンを片頭痛が進行して吐き気に至る前にできるなら、助けになるかもしれません。もし副鼻腔性頭痛であれば、このミニレッスンでさらに気分が悪くなるかもしれません。このレッスンは、首の後ろと後頭部の筋肉が過剰に緊張していることを神経系に知らせることによって、効果があります。そうすれば、そこの緊張が緩和され、筋肉が長くなります。緊張が緩和することで、頭痛の原因である脳への血流の圧迫がなくなります。経験によれば、もし顎を胸骨につけることができれば、緊張型頭痛のはずはありません。また、本当に緊張型頭痛であっても、顎を胸骨につけられるくらい首を自由にできるなら、頭痛は消えるでしょう。顎を胸骨につけることができない人もいますが、幸い、それは緊張型の頭痛にならないための必須条件ではありません。むしろ、首の後ろと後頭部の筋肉を長くすることが重要で、痛みが止まらないとしても、結果としてかなり軽減されるでしょう。このレッスンで、頭痛が始まった段階で痛みを止めることもできます。

ミニ ATM：首を楽にする

　このレッスンをするなかで、ステップ1とステップ2の一連の動きで十分と思うかもしれません。それならば続ける必要はありません。また、その次の、目を含む2つの一連の動きをやってみて、それがあなたにとってより役立つと思えたら、そこから始めてください。

1.　　平らな椅子に座ってください。頭を動かして上を見たり下を見たりしてください。どれだけ頭が遠くまで行けるかに気づいてください。それから上を見てください。この姿勢のままで、口を開けてください。頭がさらに少し後ろへ行くのを感じるでしょう。もし緊張せずにできるなら、頭をこの新しい位置にとどめたままで、口を閉じてください。この一連の動きをゆっくりと、もう3回くり返してください。くり返しているときに、もし頭の位置が変わらないなら、それでかまいません。**どんな動きも強制しないでください！**　頭を元の位置に戻して、少し止まってください。

2.　　下を見てください。この姿勢のままで、口を開けたり閉じたりしてください。口を閉じたとき、おそらく頭がわずかに下がるのを感じるでしょう。もう一度、口を開ける

ときに、この新しい位置にとどまっていてください。この一連の動きをゆっくりと、さらに2回くり返してください。それから頭を元の位置に戻して、少し止まってください。

3. 　上を見てください。この姿勢のままで、目だけで下を見てください。これを軽くやって、目を緊張させないようにしてください。それからもう一度、目で上を見てください。頭がさらに少し後ろへ行きますか？　もう一度、目で下を見るとき、この新しい位置にとどまっていてください。この一連の動きをゆっくりと、もう2回くり返してください。それから頭を元の位置に戻して、少し止まってください。

4. 　下を見てください。この姿勢のままで、目だけで上を見てください。それからもう一度、目で下を見てください。頭がさらに下へ行きますか？　もう一度、目で上を見るとき、この新しい位置にとどまっていてください。この一連の動きをゆっくりと、もう2回くり返してください。それから頭を元の位置に戻して、少し止まってください。頭を動かしながら、上を見たり下を見たりしてください。今はどれくらい範囲が広がりましたか？　もし頭痛があったとしたら、今はどんな感じですか？　ゆっくりと立って、少しの間、歩き回ってください。歩くときに頭がどのように動くかに気づいてください。

レッスンの終わり

第10章

手と口

手と舌の関係

生まれる前からの密接なつながり

　舌と手の間には、驚くほど密接な神経学的な関係があります。

　ネルソン博士はこの関係を、フェルデンクライスの指導者養成コースの3年目のときに初めて知りました。トレーナーが、クラスの別の生徒にレッスンをしているところでした。その生徒が起き上がって座ったとき、突然彼女の両手が固まってしまったのです。彼女は手を動かすことができませんでした。両手が非常に緊張し、心地悪い状態だったのです。

　そのトレーナーは、手と舌の間には重要なつながりがあると言い、ペーパータオルを1枚持ってきてくれるよう頼みました。トレーナーはペーパータオルを使ってその生徒の舌をつかみ、とても優しく手で扱いました。生徒の手がリラックスするのが見え、3、4分後に、彼女の両手は正常に戻りました。

　そのトレーナーは、この密接なつながりには2つの理由があると説明しました。1つめは、胎児が成長するとき手と舌はつながっており、それから互いに離れること。2つめは、両方とも高度な感覚システムの代表であり、脳の中で手と口に対応する領域が互いに非常に近いことです。

　前に述べたように、身体システムの中のどこかがリラックスしているときには、システムのすべての場所がリラックスしますが、舌と手の関係はずっと緊密なつながりなのです。ネルソン博士とブレイズ博士が協力し始めた最初のころ、ブレイズ博士との声のレッスンのときに、ネルソン博士はこの舌と手の密接な関係を利用しました。ブレイズ博士は、ネルソン博士の舌に非常に強い緊張があり、舌が「分厚く」なっていることに気づきました。そして、ネルソン博士が数分を費やして手を巧みに操るのを見てかなり驚きましたが、彼がそれ

を終えて発声を再開したときには、舌の緊張は消えていたのです。

肩と手の緊張

　手の筋肉は、間接的ですが密接に肩の筋肉とつながっていますから、片方に締めつけがあれば、必然的にもう一方も締めつけられます。

手根管症候群の本当の原因
　最も一般的な手の痛みの問題である手根管症候群は、この相互関係の一例です。起きている問題は、手根管を通っている神経が興奮させられているということです。医師は薬でその興奮を抑えようとするか、それがうまくいかなければ、手根管を広げる手術をするでしょう。その処置がうまくいったとしても、たいていは手首の可動性がいくらか減り、かなり不快でリハビリが必要な期間があります。けれども圧倒的に多いのは、問題が実は手根管にあるのではなく、肩か、むしろ腰にあるというケースです。もし肩の問題が解決すれば、通常、手根管症候群は消えていきます。

　手首の問題が起きるのは、肩の弱さや機能不全を補うために、手首を使いすぎることがあるからです。もし小さなハンマーを取り上げ、強く打つ動作を何度もすれば、このことがよく分かるでしょう。その動き全部を手首で行なうことができます（それによって、どれほど手首が緊張するかに気づいてください）。あるいは動きを全部、肩から行なうこともできます。そうすれば手首の緊張がどれくらいになるか見てください。あるいは、手首と肩の動きを組み合わせてやってみることもできます。

力仕事を小さな筋肉にさせてはいけない
　これは動きに関する重要なルールの一例です。最も大きくて最も影響力のある筋肉から力が来るようにしなければなりません。そうすれば、より小さく、より局所的な筋肉組織を、正確さが必要な仕事に使えるのです。これをどのように歌うことに応用できるか、少し考えてみてください。

　次のレッスンは、手と手首を自由にすることを意図しています。もし手首を動かすのが難しければ、基本のレッスンは腕のバリエーションによって内容を増やすことができます（バリエーションはレッスンの最後にあります）。もし痛みやその他の手首の問題があるなら、このレッスンをしないでください。その代わりに、それをしているところを想像してください。

ATM：魔法の手

このレッスンは、仰向けで寝てやっても、椅子に座ってやっても構いません。仰向けに寝るなら、動きをする間、両脚を曲げて足裏を床につける方がよいでしょう。各モジュールの終わりに体を調べるとき、両脚を伸ばしてください。椅子でやるなら、机かテーブルの近くに座って、どちらかの腕を机の上の平らな面に心地よく置けるようにしてください。腕を下げなければ机の表面に届かない場合は、机に本を1冊か2冊置いて、腕を置くのに心地よい高さにしてください。

1. 仰向けになるか、椅子に座ってください。両足の位置を確かめてください。足首が膝の下にありますか（あるいは仰向けに寝ているなら、両足が床についていますか）？ **足を自由に動かして、必ず足が心地よい状態で体を支えるようにしてください。**

2. **右肘をテーブルの上に置いてください。**手と前腕（手首から肘までの部分）を天井に向けて上げてください（腕は肘のところで曲がっており、前腕は壁と平行です）。**やさしく、ゆっくりと、手首を2〜3回、前後に（手のひらの向きに対して）曲げてください。**どれだけ手首を曲げられるか、それがどれだけ簡単かに気づいてください。

   右手と手首を空中でその場所に置いたまま、前腕を前後に（手のひらの向きに対して）2〜3回動かしてください。これをするのに問題があるなら、左手で右手をそこに保ってください。右手首が前腕の動きと関係して動くのを感じるでしょう。**手首を直接動かしたり、あまりにも手首を固くして腕の動きを妨げたりしないでください。**止まって、腕を体の横に下ろし、左右の腕がどんな感じか比べてください。

3. もう一度、右腕をステップ2の位置に置いてください。**指を手のひらの方に向けて丸めてください。指を丸めたままで、ゆっくりと手首を前後に曲げてください。**これを4〜5回やってください。

   では指を丸めるのをやめて、手首を何回か曲げてください。腕を下ろして休んでください。体の左側と右側を比べてください。

4. 今度は左肘を、手を上に上げた状態でテーブルに置いてください。**左手と手首を空中で今ある場所に置いたまま、前腕を2〜3回、前後に動かしてください。**この動きに関係して、こちらの手首はどのように動きますか？　止まって、腕を体の横に下ろし

てください。

これがこのモジュールの終わりです。このレッスン全部を一度でできない場合、
ここでやめるのが妥当です。ステップ5から再び始めてください。

5.　左肘を、ステップ4のようにテーブルの上に置いてください。**手首を何度か曲げてくだ
さい。指を丸めて、手首を何度か前後に曲げてください。それから指を丸めずに手首を
曲げてください。**今はどのように動きますか？　この位置で少し止まってください。

6.　**今度は、指をまっすぐにして、手のひらから遠ざけて少し後ろへ曲げてください。指
をこの位置に置いたまま、手首を何度か曲げてください。止まってください。指をリ
ラックスさせて、手首を曲げてください。腕を下ろしてください。**休んで、体の右側
と左側をどう感じるか比べてください。

7.　右肘を、ステップ3のようにテーブルの上に置いてください。**指をまっすぐにして、少
し後ろに曲げ、手のひらから遠ざけてください。手首を前後に曲げてください。**これ
を3〜4回くり返してください。それから止まって、指をリラックスさせてください。

　もう一度、右手首を前後に曲げてください。これは左手首と違いますか？　少し休
んでください。

これがこのモジュールの終わりです。このレッスン全部を一度でできない場合、
ここでやめるのが妥当です。ステップ8から再び始めてください。

8.　両肘をテーブルに置いてください。**右手首と左手首を、交互に何度か曲げてくださ
い。**どちらがより簡単かに気づいてください。これをするとき、どちらの方がよりつ
ながった感じがありますか？　動きを続けるにつれ、それが変わりますか？

　**では片方の手首を前に曲げるとき、反対の手首を後ろに曲げて、逆も同様にしてくだ
さい。**5〜7回くり返してください。腕を下ろして休んでください。

9.　右肘をテーブルの上に置いてください。**手首を前後に何度か曲げてください。今度は、手首を後ろに曲げるとき、指を手のひらの方に丸めて、手首を前へ曲げるとき、指をまっすぐにしてください。**これを 4 〜 6 回くり返してください。

　　少し止まって、それから、手首をただ前後に曲げてください。腕を下ろして、少し休んでください。

10.　今度は左肘をテーブルの上に置いてください。**手首を前後に何度か曲げてください。そうするとき、手首の動きと肩のわずかな動きのつながりを感じてください。**背中には何を感じますか？　椅子にかかる体の圧が、わずかに変化しますか？　止まってください。

　　今度は、手首を後ろに曲げるとき指を丸めて、前へ行くとき指をまっすぐにしてください。これを何度かした後で、また普通に曲げてください。手首は今、どれくらい自由になりましたか？　どのようにつながっていますか？

11.　立ち上がってください。両腕がどのようにぶら下がっていますか？　少し歩き回って、これがどんな感じかに気づいてください。とくに、肩や手首の感じに注意を向けてください。

レッスンの終わり

　もし手首に不快感があれば、手首から動かす代わりに、手首の下で腕が前後に行く動きを含めてください。この意味が分からなければ、動かしている手を反対の手で握ることから始めてください。これによって手が固定され、前腕が手を伴わずに動くとき、手首の動きを感じることができるでしょう。

　指を自由にするためには、このレッスンと似たバリエーションを指だけでやってください。つまり、それぞれの指を 1 本ずつ自然に動かし、それから曲げたりまっすぐにしたりする、などです。要するに、はじめに戻って、手首の代わりにそれぞれの指を使ってレッスン全体をくり返すことができます。

想像上のウォーミングアップ

　ときには、風邪やその他の障害がある状態で演奏しなければならないことがあります。こういった場合には、声域や声の伸びが制限されます。また、発声するための十分な時間や空間がないこともあるかもしれません。でも、もしウォーミングアップを想像する方法を知っていれば、必ずしも完全なウォーミングアップをする必要はありません。この技術を使うためには、元気なときにいくらか取り組む必要があるでしょう。そうすれば、良いコンディションでのあなたのウォーミングアップがどんなものかを感じることができます。

　１分間、いつものウォーミングアップを始めてください。それから次の１分間くらい想像してください。実際にウォーミングアップするときとウォーミングアップを想像するときは、それぞれどんな感じかに特に注意を向けながら、このやり方で続けてください。翌日は、最初の１分と３分目に想像して、２分目と４分目に実際にウォーミングアップをしてください。約１ヶ月間、週に１度は想像のウォーミングアップを気楽にやってください。これによって、ウォーミングアップについての 良い感覚が得られるでしょう。それから、いつでもこの技術を使えるようにしておくために、ときどき練習してください。この技術を使う必要があるときは、最初の１分間は実際にウォーミングアップをやって、それからやめ、ウォーミングアップの残りのほとんどは想像でしてください。あなたの声が好調なときの感じをめざしてください。すでにこれを練習してきましたから、それがどんな感じか知っているでしょう。もう１分間、実際に発声をやって、ウォーミングアップを終わらせてください。

口

顎・舌・口の筋肉の役割
　頭、首、肩、顎、舌の相互関係と同様に、口の周りの筋肉が過度に緊張したり不適当に扱われたりすると、声の自由さに悪影響をもたらしかねません。理想的には、声は呼吸によって力を与えられます。けれども、あまりにも頻繁に、顎や舌や口の筋肉が声の「サポート」の主体になろうとする傾向があります（呼吸が自分の仕事をしているなら、それらがその役割をしなくてもよいのです）。これらの器官の声における唯一の役目は、発音を明瞭にすることです。明瞭な発音のための筋肉が声の自由さを妨げる例は、顎が震えるのを見れば明らかで、締めつけが最高潮に達して過度の緊張となっているのがはっきり分かります。

喉頭は舌骨からマリオネットのようにぶら下がる
　第９章で指摘したように、顎、唇、舌の筋肉の複雑なつながりは、喉頭部の自由さに直接的に影響します。舌と喉頭の相互関係を観察してください。発声器官である喉頭は舌骨から

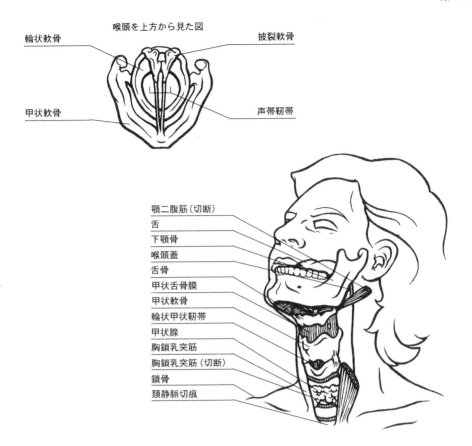

喉頭を上方から見た図

輪状軟骨　披裂軟骨　甲状軟骨　声帯靭帯

顎二腹筋（切断）
舌
下顎骨
喉頭蓋
舌骨
甲状舌骨膜
甲状軟骨
輪状甲状靭帯
甲状腺
胸鎖乳突筋
胸鎖乳突筋（切断）
鎖骨
頚静脈切痕

ぶら下がっており、むしろ、マリオネットが手のコントロールで吊り下げられているのに似ています（上のイラスト）。舌骨はまた、舌の基底がしっかりと定着する床としての役割も果たします。このように舌と喉頭は緊密につながっています。舌が後ろに引っ込むとき―これは歌い手によくある技術的な間違いですが―、事実上、舌は基底（舌骨）を押し下げ、もちろんそのために喉頭も押し下げられ、発声の自由さがひどく制限されます。これがどんな感じか、実験することもできます。わざと舌を後ろに引っこめて、しゃべってみて声を聞いてください。また結果として喉や首に生じた緊張に気づいてください。

唇・頬の緊張も喉頭の自由さを制限する

同様に、直接つながっていなくても、唇と頬の筋肉の緊張もまた、喉頭の自由さを制限して声の響きに逆効果をもたらす可能性があります。母音と子音の明瞭な発音は、これらの筋肉と舌によります。過度な口の操作とそれにともなう緊張は、自由で明瞭な発音を妨げ、喉頭をも制限します（この話題についてのさらなる情報は、Nair 1999 の第3章、4章参照）。

次のレッスンは、口を柔らかくする助けになるでしょう。過度な緊張を手放すにつれ、自分のしたいことがずっと簡単にできるということがわかるでしょう。歌っているときにも、この楽な感じを保てるかどうか見てみてください。

ATM：口を柔らかくする

　このレッスンは、床の上でやっても椅子でやっても構いません。ここでは、さまざまなところで使えるように、椅子でのレッスンをご紹介しています。床でやる場合は、仰向けに寝て、膝を曲げて足を床につけて動きをし、休むときには両脚を伸ばしてください。

1.　椅子の前の方に移動してください。両足ともしっかりと均等に床の上につけてください。顔がどんな感じかに気づいてください。首はどれくらい緊張していますか？　どのように呼吸していますか？　**では、唇を前へ押し出し、それから自然に後ろに戻ってくるにまかせてください。**15〜20回くり返してください。「まかせる」ときに力を減らせるかどうか見てください。少し止まってください。

2.　**唇を前へ押し出し、それから後ろにもってきてください。**これと、唇が後ろに戻ってくるにまかせるのとでは、どのように違いますか？　8〜10回くり返してください。少し止まってください。

　唇を前へ押し出し、戻ってくるにまかせることを、1〜2回やってください。やめて少し休んでください。

　必要でしたら、椅子の後ろに座ってください。何が変わったかに気づいてください。

3.　椅子の後ろの方に座っているなら、前へ移動してください。**口角を耳の方に向かって上げてください。**これは後ろに引っ張ったような感じで、「にっこり笑顔」をつくることになります。**それから唇をリラックスさせて、普通の状態に戻してください。**10〜15回くり返してください。より楽な感じにできるでしょうか。少し止まってください。

4.　**唇を後ろに引いて、少しの間そのままにしてください。右の人差し指で右側の口角をそこに留めておいてください。それから左側の口角をニュートラルに戻してください。**左の口角が耳の方へ行ったりニュートラルに戻ったりする間、右の口角は人差し指で留めたままにします。8〜10回くり返してください。右側の口角から手を離して、少し止まってください。左側と右側とで、どんな違いに気づきますか？

5.　**唇を後ろに引いて、少しの間そのままにしてください。左の人差指で左側の口角をそこに留めておいてください。それから右側の口角をニュートラルに戻してください。**

右の口角が耳の方へ行ったりニュートラルに戻ったりする間、左の口角は人差し指で留めたままにします。7〜9回くり返してください。左側の口角から手を離した後、少し止まってください。

今度は両側の口角を、耳に向かって1〜2回動かしてください。どんな違いに気づきましたか？　少し止まってください。

唇を前へ押し出し、戻ってくるにまかせることを、2回やってください。前とどのように違いますか？　やめて少し休んでください。

これがこのモジュールの終わりです。このレッスン全部を一度でできない場合、ここでやめるのが妥当です。ステップ6から再び始めてください。

6.　手のひらをむこうに向けて、右手の人差し指と中指で上唇を挟んでください。指の第1関節が唇の真ん中にあります。**やさしく唇を上へ動かしたり下に動かしたり、何度かやってください。**どちらか動かしやすい方向がありますか？　これをさらに6〜7回くり返してください。

今度は唇を左右に動かしてください。もう一度、より動かしやすい方向があるか見てください。これは使っている手と関係がありますか？　8〜10回くり返してください。毎回その動きを、よりやさしくできるでしょうか。

それから、上唇を自由に動かしてください。これを30秒ほど続けてください。止まって休んでください。

両唇を押し出し、戻ってくるにまかせることを、2回やってください。どんな違いに気づきますか？　少し止まってください。どんなことでも、違いに気づいてください。

7. 親指を下にして、親指と人差し指で下唇を挟んでください。唇をやさしく上下に動かしてください。これを7〜8回くり返してください。唇を持ったままで止まってください。

今度は唇を左に何度か動かし、それから右に何度か動かしてください。少し止まってください。それから左右に動かしてください。何度かくり返してください。それから止まってください。

最後に、下唇を上下、左右、ななめ、そしてどの方向でも行きたい方向に自由に動かしてください。やめて、手を下ろして、少し休んでください。

8. 親指と、人差し指・中指の手の甲側で、両唇を挟んでください。人差し指が両唇の間にあって、第1関節が唇の真ん中にくるでしょう。やさしく唇を上下に動かしてください。これをするとき、どこに制限を感じるかに気づいてください。これを7〜8回くり返してください。唇を持ったままで止まってください。

両唇を左右に何度か動かしてください。どちらの方向がより簡単かに気づいてください。それから、唇を、真ん中から簡単な方にだけ3〜4回動かしてください。少し止まってください。唇を、真ん中から動かしにくい方に何度か動かしてください。それから唇を左右にもう3〜4回動かしてください。少し止まってください。2回目にやったときには、左右への動きがより均等になりましたか？

今度は唇で円を描くように動かしてください。約1分間やり続けてください。他に何が動いているのが感じられますか？　頭は動いていますか？　肋骨はどうですか？骨盤に何か起きていますか？

向きを変えて同じことをしばらくやってください。この方向に行くとき、何が変わりましたか？

最後に、少しの間、どの方向でも動かしたい方向に、唇を自由に動かしてください。やめて、手を離して休んでください。

9. 唇を押し出したり、戻ってくるにまかせたりする動きに戻ってください。何度かくり返してください。これが今はどんな感じですか？

それから「にっこり笑顔」の動きを何度かしてください。これはどんな感じですか？

やめて休んでください。

これがこのモジュールの終わりです。このレッスン全部を一度でできない場合、
ここでやめるのが妥当です。ステップ 10 から再び始めてください。

---

10. 唇を押し出しますが、今度は口をすぼめてください。つまり、後ろに戻すとき、少し
口をすぼめて保ってください。これにより、動きが吸う動きに変わります。もしそう
でなければ、動きを、あなたにとって吸う動きだと思うものに変えてください。**この
吸う動きをやり続けてください。**毎回、よりスムーズに、より簡単にできるでしょう
か。約 20 回くり返してください。止まって少し休んでください。

11. 頭を左右に回してください。

吸う動きを再開しますが、右に向かってだけ、吸う動きをしてください。8 〜 10 回
くり返して止まってください。

今度は左に向かって吸う動きをしてください。7 〜 8 回くり返してください。

左右交互に吸う動きをしてください。3 〜 4 回くり返した後、どちらの方向の方がよ
り好きか感じてください。その方向に 2 回行って、それから左右の動きを再開し、さ
らに 4 回やってください。止まって休んでください。

12. **頭を右に向けて、吸う動きを再開してください。**8 〜 10 回くり返してください。頭
が右に回っているとき、吸う動きをしながらさらに右に少しずれていることに気づく
でしょうか？（動きを変えたわけではないのに、胴体に対する頭の位置関係が少し変わって、
さらに少し右にずれているように感じるのです。）止まって休んでください。

頭を左に回し、やさしく吸う動きをしてください。7 〜 8 回くり返してください。止
まってください。

頭を好きな方に回して、その方向に吸う動きをしてください。4 〜 5 回くり返してく
ださい。止まってください。

頭を反対方向に回して、その方向で4〜5回吸う動きをしてください。止まってください。

頭を真ん中に置いて、2〜3回吸う動きをしてください。止まって、それから頭を左右に回してください。今はどれくらいうまく回せますか？　止まって少し休んでください。

13.　唇で笑顔をつくる動きを3〜4回やってください。今はどんな感じですか？　止まってください。

唇を前へ押し出し、戻ってくるにまかせることを2〜3回やってください。戻ってくるのはどれくらい楽でしたか？　口について、どんなことに気づきますか？　首はどんな感じですか？

立ち上がって、体のバランスを感じ、それからしばらく歩き回ってください。どのように歩いているか、どれくらいまっすぐ立っているかに気づいてください。

レッスンの終わり

第11章

目

動きにおける目の役割

　他の霊長類と同様に、私たち人間は目を、動きを導くための優勢な外的感覚システムとして頼っています。私たちは動いているとき、どこへ自分が行こうとしているか見たいと思っています。また静止しているときには、自分のまわりに何があるのか、何が動いているのかを見たいと思います。目を閉じているときでさえ、そうなのです。もし目を閉じて左足を上げたら、目は下へ左へと追っていこうとするでしょう（これを試す前に、次の文を読んでください）。でも、目の動きはとても小さいかもしれませんから、この目の動きにはっきり気づくには、足を何度か上げる必要があるかもしれません。もし右足を上げれば、目は右へ追っていくでしょう。これは私たちの意識的な考えや指示とは無関係に起きるので、生まれつき備わっているように思われます。

目の使い方は学習の結果

　しかしながら、私たちの目の使い方は学習によって身についたもので、生まれたばかりの赤ちゃんは目の焦点を合わせることが困難です。目の見えない人々を見れば明らかですが、生まれつき目の見えない人は、目を使って方向づけることができません。相手の言うことを聴くために必ずしも相手の方に顔を向けませんし、また必ずしも物音の音源の方に向きません。それは第一に、彼らがこういったことを学んだことがなく、そうする必要性も感じないからです。彼らは音楽を演奏したり聴いたりするとき、非常に変わったパターンで頭を動かすこともあるかもしれません。

　それに対して中途失明者は、物理的に眼という器官を失った人ですら、目の見える人と同じように自分を方向づけるでしょう。それは、彼らがこれらの動きのパターンを目が見えて

いたときに発達させたからです。一度定着すると、これらのパターンは非常に長く持続します。それは単に変化させるきっかけがないからであり、また、バランスをとる上で目が重要な役割を果たすからでもあります。生まれつき目が見えない人は、バランスのこの側面を発達させることは決してありません。彼らは、内耳にある前庭システムと接触にだけ頼っています。しかし、中途失明者は、視覚的な手がかりを自分のバランスに組み入れてきましたから、たとえ眼を失っていたとしても、あたかも眼があるかのように眼の筋肉を動かすでしょう。したがって中途失明者は、頭を変に動かすと戸惑ってしまいます。

目が動きを導く

　私たちが動きを学ぶなかで目が果たす役割は、非常に重要です。それは、空間での方向づけをどのように学ぶかということです。赤ちゃんが初めてか2度目に仰向けからうつ伏せに転がるのを学ぶ様子を見ていると、大変参考になります。一般に、赤ちゃんに転がろうという意図はありません。むしろ赤ちゃんは頭上にある何かを追いかけようとしていて、頭を回しているうちに（頭の割合は大人よりも赤ちゃんの方がずっと大きいです）、ある瞬間、元に戻れない地点を過ぎると、突然その赤ちゃんは引っくり返ってうつ伏せになっているのです。目が頭をある方向に集中させているのに、赤ちゃんがその反対方向へ行こうとするとき、非常に欲求不満な様子を見せることもあります。このようにして、私たちは目で導くことを学ぶのです。

　まさに、フットボール選手などのアスリートが、相手の目を見ることでこれを利用します。相手の目を見れば、ボールの行く先が分かるからです。あるいは、バスケットボール選手が自分の見ている方向と反対方向にパスを出すときのように、目は相手を誤った方向に導くのにも使われます。

　目を自由に操る力が発達するにつれ、動きを学ぶ助けとなるように目を積極的に使うこともできるでしょう。たとえば、コンピューターを使うには、どのキーがどこにあるかを知る必要があり、ほとんどの人はキーボードを見ずに打つことはできません。でも訓練を積めば、目を画面に置いたままでキーボードを打つやり方を身につけることもできます。

バランスにおける目の役割

　目はバランスを維持するのにも重要な役割を果たします。バランスを司る主要な器官は前庭システムで、このシステムが適切に機能しているとき、バランスを維持するのは簡単です。でも、立ち上がって目を閉じたら、おそらく少し前後にぐらつくのを感じるでしょう——目を閉じる前にはぐらついていなかったのに。前庭システムに損傷を受けると、バランスにおける目の役割は不可欠になります。

　これをバランスボード（13センチメートルのしっかりした発泡スチロールの上に板がついた装置）で実演することができます。そのバランスボードの上に立つと、まるで地面が揺

れているように感じますが、しばらくすると、バランスを獲得して心地よく立つことができ
るようになります。けれども、目を閉じているときには、本当に自分が揺れているのが感じ
られます。

　ネルソン博士はかつて、脳腫瘍の手術で右耳の前庭システムを失った、アルマという女性
とワークしました。アルマが目を開けたままでバランスボードの上に立ったときには、正常
な人と同じように立てました。でも、目を閉じるとバランスを保つことができませんでし
た。損傷を受けていない左の前庭システムだけでは、バランス感覚を維持するには不十分
だったのです。

　バランスにおける視覚の役割を体験する別の方法は、暗闇の中で、がらんとした空間を横
切って、ゆっくりと歩くことです。その空間には何もないことが分かっているため、何かに
ぶつかる心配はありません。したがって、暗闇の中を歩くときの不安感は、少しふらつく感
じからも来ているのだと気づくでしょう。

片目の人は体を再整合する

　片目が使えなくなると（たとえそれが一時的にせよ）、動きにおいて重要な再整合が必要
になります。片目だけを使う人は、頭を反対側にいくらか動かして、1 つだけの眼がより中
心にくるようにします。また、制限された視野を埋め合わせるために、さらに頭と首を回し
ます。反対側の手と腕が同じほどよくは見えないため、両目が使える場合と比べ、見えにく
い側の手と腕を使わない傾向があります。片目の人はまた、部屋の中にいる他の人々が見え
るように位置取り、最も重要な人物を見ることができる場所に身を置くよう気を配ります。
誰か 1 人といっしょにいるときは、見える眼の側にその人がいるようにするでしょう。

ちょっとした首の筋違いを軽減する

　私たちの目の使い方を、ちょっとした首の筋違いを軽減するのに利用することができま
す。すでに述べたように、片目の人々は、見える方の眼が視野の真ん中にくるように、頭を
わずかに回した状態にします。これによって良い眼の側の首の筋肉が引き伸ばされ、反対側
の筋肉が緩みます。一般的に、首の筋違いや、ちょっとした首の痛みは、そちら側の首の筋
肉が緊張したり引き伸ばされたりすることが原因です。もしこれが起きていることに気づい
たら、痛い側の眼を閉じるか、眼帯でその眼を覆ってください。それから、できれば 2 ～ 3
分歩き回ってください。歩くことができなければ、車を運転しているかのように遠くを見て
ください。単純にその眼を閉じることで、普通は首の痛みが軽減します。なぜなら、片目だ
けを閉じているとき、その方向にわずかに頭を回すからです。それで開いている目をより中
央に置くことになり、目を閉じている側の首の筋肉の頑張りが減るのです。筋肉が緩むにつ

れ、痛みはゆっくりと消えていきます。

目の緊張

目の緊張の原因

　誰でも目の緊張を経験することがあります。程度が軽ければ目を細めるくらいで済みますが、ひどい場合には頭痛になります。目の緊張が長引けば近視になると信じる人もいます。

　緊張の原因の1つは明るい光、とくに太陽光です。目が本当にリラックスしていなければ、明るい太陽光に直面するとき目を細めることに気がつくでしょう。それが心地よくないため、多くの人がサングラスをかけます。

　加齢も目の緊張の原因になり得ます。年齢を重ねるにつれ、目のレンズ（水晶体）が固くなり、レンズを動かす筋肉が動きにくくなります。その結果、焦点距離の変化に非常に対応しにくくなり、とくに近くを見るのが難しくなります。こうして読書用の眼鏡や遠近両用眼鏡が必要になるか、あるいは、すぐに目の緊張を感じるようになります。

　緊張の別の原因は、同じ距離、とくに近い距離に目の焦点を長く合わせすぎることです。これは私たちの文化にはよくあることです。というのも、非常に長い時間、近い距離にあるものを見続けて過ごすからです。近いところで何かするとき、私たちは頭を下げた状態にする（読書のときなど）か、頭をじっと同じ高さに保つ（コンピューターのモニターを見ているときなど）傾向があります。

「ソフト・アイ」―自分の中心にいる感覚

　しかし、ごく最近まで、進化の過程で人類は、長い間、ほとんどの時間を外で地平線を見ながら過ごしていました。これは必然的に頭を上げて開いた状態に保つことになり、歌うことにとって良い姿勢です。

　興味深いことに、焦点を合わせずに地平線を見るとき、私たちは最も自分の内側にいると感じます。この現象は「センタード・ライディング」という技術を使う乗馬者の間ではよく知られており、彼らはこれを「ソフト・アイ（柔らかい目）」と呼びます。

　目は神経システムの鍵となる要素です。まさに私たちは、外部からの感覚入力の約90パーセントを目から受け取っています。ですから、目をリラックスしたままにすることで、私たちの神経システム全体をリラックスさせることが期待できます。たしかに、目がリラックスしているとき、私たちは本当に中心にいると感じられ、頭や顎のすべての筋肉もリラックスします。その結果、声が広がり、明瞭になり、柔軟性に富み、よく響くようになります。

　次のレッスンは、目がリラックスするとはどういうことか、またそれが声や幸福感にどう影響するかを感じさせてくれるでしょう。

ATM：目を緩める

1.　まっすぐな座面で肘かけのない椅子に座ってください。椅子の背にもたれずに、心地よくまっすぐに座ることができますか？（もしできなければ、84ページの「まっすぐ座るための骨盤の役割」をご覧ください。）**では椅子の前の端に座ってください。頭を左右に回してください。** 目が同時に同じ方向に動くのに気づきましたか？

　今度は、目の動きで導きながら、頭を左右に回してください。これを5～6回くり返してください。毎回、目や目の筋肉に何か緊張がないか調べてください。もしできれば、この緊張を緩めてください。それから頭をさらに1回左右に回して、何か違いがあるかどうか見てください。その場所で約1分間休んでください。

2.　**まっすぐ前の壁を見てください。目を一点に、または真正面の光景に固定してください。では頭を左に5～7センチメートル回してください。ゆっくり行ってください。** 目を伴わないで頭を回すのは難しく、戸惑うかもしれません。これを3～4回くり返してください。毎回ゆっくりと行って、目の中に何か緊張があれば、それを緩めることができるか調べてください。**少し止まって、目を閉じ、手のひらで目を覆ってください。**

　また目を開けて、同じ点に目を固定してください。今度は、頭をゆっくりと右に5～7センチメートル回すことを、4～5回やってください。少し止まって、目を閉じ、手のひらを目にかぶせてください。

3.　**まっすぐ前の壁を見てください**（次に目を閉じるようにと指示がありますので、まず、ここの指示全体を読んでください）。**前の壁の一点または像に焦点を合わせて目を閉じてください。目を閉じたままで、この像をまっすぐ目の前に保っておいてください。ではゆっくりと頭を右に、約5センチメートル回してください。** そうする間、あなたの目の前にその像を保っておいてください。つまり、その像はあなたとともに動くため、目は頭に対しては動きません。それから真ん中に戻ってください。これを3～4回くり返して、それから動きを2回やるのにかかるくらいの時間止まってください。

　今度は同じことを左に向かってします。約5センチメートル動いて戻ってください。目は、あなたとともに動いている像においたままです。 これを3～4回くり返して、動きを2回やるのにかかるくらいの時間止まってください。

同じやり方で動きながら、頭を左右に3～4回動かしてください。動き2回分にかかる時間、止まって、ゆっくりと目を開けてください。

4.　頭を左右に回してください。どれくらい遠くまで行きましたか？　どんなに簡単でしたか？　呼吸についてどんなことに気づきますか？　自分の中心がどこだと感じますか？　自分自身の感覚に、何か変化がありましたか？

では、目で導きながら、頭を左右に回してください。どんな変化に気がつきますか？
椅子の後ろの方に座って休んでください。

これがこのモジュールの終わりです。このレッスン全部を一度でできない場合、
ここでやめるのが妥当です。ステップ5から再び始めてください。

5.　椅子の端に座ってください。右手を右膝の上に置いてください。右足は動かさないで、右膝を前へ動かしてください。頭と目が、この動きにつれて回るにまかせてください。3～4回くり返して、それから右手を体の横に置いてください。止まって、どんな変化でも気づいてください。

今度は左手を左膝の上に置いて、膝を前へ動かしてください。また頭と目が、膝の動きにつれて動くにまかせてください。何か上下の動きを感じますか？　さらに3～4回くり返して、何か上下の動きを感じるかどうか見てください。止まって少し休んでください。

6.　左手を左膝に置き、右手を右膝に置いて、ゆっくりとまず左膝を、それから右膝を前へ動かしてください。これを5～6回くり返してください。左に行くやり方と右に行くやり方で、どんな違いにでも気づいてください。これらの違いに気づくことで、どんなにわずかでも、何か変わりましたか？　やめて少し休んでください。

7.　始める前に、この指示を全部読んでください。目を閉じてください。ゆっくりと右膝を前へ2～5センチメートル動かしてください。目が、頭と膝といっしょに動くにまかせてください。膝を始めた地点に戻して、3～4回くり返してください。動き2往復にかかる時間、目を閉じたままで止まってください。

今度はゆっくりと左膝を前へ2〜5センチメートル動かしてください。このパターンを3〜4回やってください。止まって、動き2往復にかかる時間、目を閉じたままでいてください。

最後に、左右の膝を交互に前へ動かす動きを3〜4回してください。やめて休み、約1分間、目を閉じたままでいてください。それから目を開けてください。今どのように呼吸しているかに気づいてください。自分の中心がどこだと感じますか？　知覚している雑音の質はどうですか？

8.　もう一度、膝を交互に前へ3〜4回動かしてください。これが今はどんなに簡単ですか？　目の動きをどのように感じますか？　他にどんなことに気づきますか？　**椅子の後ろに座って、しばらく休んでください。**

これがこのモジュールの終わりです。このレッスン全部を一度でできない場合、ここでやめるのが妥当です。ステップ9から再び始めてください。

9.　椅子の前の方に座ってください。（どちらでも好きな方の）手を正面に、顔から約30センチメートル離したところに、手のひらを顔に向けて置いてください。手を顔に向かって動かして、それから遠ざけてください。顔から遠ざけて動かすとき、どこかの地点で手を返して、手のひらが外を向くようにしてください。どこがあなたにとって、手を返すのに良い場所かを感じるでしょう。目でついていきながら、この動きを3〜4回くり返してください。動きをバリ島の踊り手のように優美に行なってください。手を下ろして、少し止まってください。

10. 行なう前に、ステップ10と11を読んでください。もう一度、手を顔から約30セ ンチメートル離して、手のひらを内側に向けてください。目を閉じてください。手を ゆっくりと顔に向かって動かしてください。それからゆっくりと遠ざけてください。 より完全に腕を伸ばすために、どこで手を返したいか感じてください。その場所で手 を返してください。それから手を顔に向けて近づけて、適切な場所で返してくださ い。この動きに（閉じた）目でついていってください。5〜6回くり返してください。 ゆっくりと、やさしく、そして優美な感覚で行なってください。手を顔から約30セ ンチメートル離したところに置いて、止まってください。

11. 続けて、閉じた目で動きについていってください。今度は手を外側に約30センチ メートル動かし、真ん中に戻してください。ゆっくりとやさしく、これを4〜5回く り返してください。

   それから注意深く正中線を横切って、手を反対方向に約30センチメートル動かすこ とを4〜5回やってください。最後に、手を左右交互に4〜5回動かしてください。 ずっと目で手についていってください。1分間、止まってください。

   目が疲れたと感じたら、手のひらで目を覆ってください。やさしく目を開けてください。

12. 手を上げて、手が顔から遠ざかったり近づいたりする動きに、1〜2回ついていって ください。頭を左右に回してください。どのように動くかに気づいてください。自分 の中心がどこだと感じますか？　どれくらい注意を払っていますか？　どれくらい緊 張を感じますか？　呼吸はどんな感じですか？　口を開けて、短く母音で歌ってくだ さい。その音色や響きに耳を傾けてください。今はどんな感じですか？　1分間休み、 それから立って、歩くのがどんな感じか見てください。

レッスンの終わり

眼鏡

　眼鏡は、声に対して明確で有害な影響があります。それには2つの理由があり、1つは圧 力、もう1つは筋肉に余分な力がかかることです。

　眼鏡の重さは耳と鼻で支えられていますが、鼻に圧力がかかると少し呼吸がしにくくなります。さらに重要なのは副鼻腔への影響です。鼻は副鼻腔に接し、その上に乗るような位置にあるため、眼鏡によって副鼻腔に少し圧力がかかり、ここが圧迫されると、空洞内での共鳴が減少してしまいます。

　眼鏡の重さがかかることで、口を開いて顎を動かすのに、ほんの少し余分な力が必要にもなります。こうしてさらに頑張ることで、発音が少し不明瞭になります。その上、眼鏡をかけることで、後頭骨の筋肉（頭蓋骨の底部と首の上部の筋肉）がさらに頑張って働かなければなりません。もし眼鏡をかけているなら、そのあたりに注意を向けながら眼鏡を何度か外したりつけたりすると、これに気づくことができます。しかし、それを絶えず心配することになりそうでしたら試さないでください。このわずかな緊張が声に影響するかどうかは不明ですが、眼鏡なしで演奏可能ならば明らかにそうすべきです。あなたの声の響きはより良くなるでしょう。

視覚の筋肉と副鼻腔

　眼球を動かす6つの筋肉は眼窩の内側にあります。これらのうち4つは直筋で、それぞれが眼球を4等分した1つに付いており、共通の1つの腱につながっています。他の2つは斜筋、つまり斜めに付いています。斜筋の1つは上顎骨に、他の5つの筋肉は蝶形骨に付いています。上顎骨にも蝶形骨にも副鼻腔という空洞があります。

　まぶたと眉の筋肉も視覚にとって重要です。これら両方とも目に入ってくる光の量を調節し、まばたきの役割も担っています。まぶたの筋肉は蝶形骨洞を覆い、眉の筋肉は前額洞を覆う位置にあります ［訳注8］。

　目を使うとき、副鼻腔と緊密につながるこれらの筋肉群すべてが関係します。ですから、目に過剰な緊張があると副鼻腔を圧迫し、直接的に影響して共鳴が減少してしまいます。これだけでなく、先述のように、目は神経システム全体に強い影響を及ぼすのですから、目を柔らかくリラックスしたままにすることは明らかに重要です。

　次のレッスンは目の動きを顎と関連づけます。このレッスンを試みる前に、どうぞこの章の最初のレッスンを行なってください。「ソフト・アイ（柔らかい目）」の感覚がどんなものか分かり、次のレッスンから最大限の効果を引き出せるでしょう。

---

［8］蝶形骨洞も前頭洞も副鼻腔の1つ。他に、篩骨洞、上顎洞がある。（訳者ノート P.184 参照）

ATM：目を顎と関係づける

1. 心地よい椅子に座ってください。**目を上下に何度か動かしてください。**目がどれだけスムーズに動くかに気づいてください。目が何度も引っかかったり、急にぐいと動いたりするのが分かりましたか？　目を閉じて、手のひらで目を覆ってください。これはパーミングと呼ばれます。指を置くのではなく、必ず手のひらを目にかぶせて置くようにしてください。目の前の色に気づいてください。目がリラックスしているときには、ビロードのように柔らかな黒色が見えるでしょう。約1分間、手のひらで目を覆ってください。手のひらを目から外して、もう一度、目を上下に動かしてください。いくらかスムーズになりましたか？　止まってください。

2. **口を開けたり閉じたりしてください。**これは、顎を動かして下げたり上げたりすることと同じです。これを4〜5回くり返してください。毎回これをするとき、動きをより柔らかく、よりやさしくできるでしょうか。止まってください。

3. **顎を下に動かすとき、目を下に動かしてください。それから、顎を上に動かすとき、目を上に動かしてください。目と顎を、もう数回、上下に動かしてください。**これらの動きを組み合わせることで、動きがより簡単になったと思われますか、それともより難しくなったと思われますか？　1分間、手のひらで目を覆ってください。

4. **顎を下に動かすとき、目を上に動かしてください。それから反対方向へ行ってください。目と顎を反対方向に動かすことを続けて、もう5〜6回やってください。**止まって、手のひらで目を覆ってください。目を顎と反対方向に動かしたとき、目を心地よいまま保っておくことはできましたか？

5. **目を上下に動かしてください。**いくらかスムーズになりましたか？　**顎を開けたり閉じたりしてください。**いくらかより簡単になりましたか？　口をさらに開けることはできますか？　他に何か変化に気づきますか？　止まってください。

これがこのモジュールの終わりです。このレッスン全部を一度でできない場合、ここでやめるのが妥当です。ステップ6から再び始めてください。

---

6. **目を左右に動かしてください。**これを何度かくり返してください。この動きをどれだけスムーズにできるかに気づいてください。左右どちらかに行く方が、反対側に行くよりも簡単だと思いますか？　止まってください。**口をわずかに開けて、顎を左右に動かしてください。**これを4〜5回くり返してください。毎回やるたびに、動きをより簡単にすることができるでしょうか。止まって少し休み、手のひらで目を覆ってください。

7. **目と顎を左に動かして、真ん中に戻してください。**これを何度かくり返してください。顎と目を同時に動かしましたか？　今度は目を左右に2回動かしてください。左右で楽さに違いがありましたか？　違いがあったとしたら、その違いは、前の動きとどのように関係していますか？　**目と顎を右に動かして、真ん中に戻してください。**これを何度かくり返してください。楽な感覚をもってやってください。止まってください。**それから目と顎の両方とも左右に何度か動かしてください。**止まって、少しの間、手のひらで目を覆ってください。

8. **顎が右へ行くときに、目を左へ動かしてください。両方とも真ん中に戻して、3〜4回くり返してください。**顎の動きと目の動きの、どちらがより簡単に思われましたか？　あるいは区別がつきませんでしたか？　正しい答えはありません。ただ顎と目のそれぞれの動きに注意を向けてください。**今度は、顎が左へ行くときに、目を右へ動かしてください。両方とも真ん中に戻して、3〜4回くり返してください。**止まってください。たった今は、顔をどのように感じますか？　**顎が右へ左へ行くとき、目を左へ右へ動かしてください。**この逆のつながりを少なくとも5回くり返してください。毎回、より簡単に思えるやり方を見つけられるでしょうか。止まって、1分間、手のひらで目を覆ってください。

9. **目と顎をいっしょに左右に動かしてください。**これを何度かやってください。逆の動きの結果として、それがどんなに変わりましたか？　**目だけで左右に動かしてください。**動きがいくらかスムーズになりましたか？　**顎を左右に動かしてください。**何かが変わったかどうかに気づいてください。止まってください。**目を上下に動かして、前と比べてください。それから顎を左右に動かして、違いを見つけてください。**止まって、1分間、手のひらで目を覆ってください。

レッスンの終わり

第12章

この本の使い方

生徒自身が使う場合

　本書のレッスンは、多忙な歌手や声楽の生徒さんのために注意深く構成されています。各モジュールは8〜10分であり、一般的な10〜15分の発声やウォーミングアップに簡単に組み込むことができます。しかしながら、歌い手は、歌うことに熱心なあまり、練習の最も本質的な部分である、体の準備を飛ばすことがよくあります。これらのレッスンがとても簡単で、気楽で魅力があると分かり、歌い手や生徒の皆さんが時間をとって行なう価値があると認めてくださることを願っています。

グループレッスンや合唱団などで使う場合

　モジュール化されたレッスンは、何人かの生徒を一度に教えるときにも簡単・便利に使えます。教師はウォーミングアップの一部あるいは技術的な追加情報として、特定のエリアに的を絞ってレッスンを選ぶことも、あるいは歌うための体全体の準備としてレッスンを選ぶこともできます。教師が声に出して読み、生徒はその指示に従います。レッスンはグループ全体に対して行なうことも、あるいは個人の特別な必要性に合わせてすることもできます。
　演奏会の直後や新曲に取り組む前などに、合唱団の指導者が練習の大部分を使い、1つのレッスンを通して合唱団全体を指導したいと思うこともあるでしょう。その場合には、私たちがいくつかの合唱団で素晴らしい成果を出した次のやり方をご提案します。

　　1.　いつもの発声のウォーミングアップの後で、合唱団に歌い慣れた曲の短い一部分を歌ってもらう。

2. どのレッスンでも構わないので、レッスンの1番目と2番目のモジュールを合唱団に通して行なってもらう（楽しんでやってください）。
3. 合唱団に同じ曲の同じ部分を歌ってもらう。合唱団全体の音色と外見に、何か変化があるかに注意を向ける。個々のメンバーに、気づいた変化を言ってもらう。
4. 同じレッスンの続きのモジュールを1つか2つやって、この手順をくり返す。
5. 同じ部分をもう一度歌い、さらなる変化に気づく。

教師が個人レッスンで使う場合

声楽教師は、次のような課題を持って生徒と向き合います。
(1) その生徒の発声を、良い点も悪い点も両方含めて評価すること
(2) 声の「欠点」または修正の必要なエリアを診断すること（McKinney 1994 参照）
(3) それらのエリアを修正する解決法を処方すること

ブレイズ博士は声楽教師として、問題のあるエリアを見抜くために、観察力と運動感覚的な勘を磨き、「修正」に向けて生徒を助けるためのいくつかの戦略も発達させてきました。けれども多くの場合に、緊張したエリアは特定できても、よくある治療的な戦略以上のものが必要だと感じました。これらのフェルデンクライスのレッスン、とくにモジュール化されたレッスンは、そんなときに特別な助けになります。

各モジュールは、初期のウォーミングアップや技術を磨く段階でも、あるいはその生徒に関係ある特定のエリアのための「即効策」としても使えます。教師としてあなたが、あるレッスンから1つのモジュールを選び、それを日常の練習の一部として割り当ててもかまいません。自主的にモジュールを探るように生徒に勧めてください。モジュール1だけをやってやめ、翌日同じモジュールに戻ることも、モジュール2から練習を再開することもできます。あなたご自身が気楽にやってみて、何がそれぞれの生徒に、あるいはその生徒の具体的な必要性に役立つかを見つけることをお勧めします。フェルデンクライス・メソッドのアプローチと哲学を踏まえれば「規則」はほとんどありませんが、忍耐強く、体が何を知らせているかに耳を傾け、それに答えたいと思う必要があります。

付録

機能的統合
(Functional Integration)

　「機能的統合」(FI) は１対１の学びで、レッスンを通してフェルデンクライス教師はやさしいタッチを使って生徒をガイドします。一般的には、生徒は専用のしっかりした台に横になります。教師は「動きを通した気づき」(ATM) を雛型として使うこともありますが、それぞれのレッスンはその生徒のためにつくられます。どのレッスンも、あらかじめ決められた計画によるよりはむしろ、主にそのワークへの生徒の反応、そして教師の知識と感受性によって進みます。それぞれのレッスンには次の３つの要素があります。つまり、レッスンの内容、やり方（あるいはタッチ）、そして教師自身の組織立てです。

　機能的統合のレッスンの内容は、ある機能を中心に展開するATMのレッスンの１つと似ていることがよくあります。ある機能とは、呼吸や背骨の回旋、骨盤と頭のつながりなどです。しかし、機能的統合において教師は、多くのより多様な選択肢を自由に探究し、そのうちのいくつかは、教師の助けなしで生徒一人ではできないようなものです。個人の特性も、より考慮されます。最終的には、ペースや範囲、選択肢の多様性などは、生徒の反応によって決まります。このように、同じATMを雛型として使うときですら、レッスンはいつも、生徒ごとに何かしら異なるように見えたり感じられたりすることでしょう。本当に、ときにはレッスンがあまりにも根本的に元の計画と異なって展開するため、はじめに期待されていたのとは異なる機能が引き起こされることがあります。

　タッチはレッスンの成功にとって、完全に決定的です。タッチはやさしく、非侵入的で、方向が明確でなければなりません。不快なタッチは生徒のシステムを緊張させ、レッスンの内容に対する抵抗を生みます。タッチはその人の自己感覚を侵害してはなりません。さもなければ拒絶されるでしょう。ですから、もし「動かしたくない」エリアがあれば、尊重しなければなりません。この非侵入性のおかげで、神経システムはレッスンを、何か押しつけられたものではなく、それ自体として受け容れるのです。

最後に、方向は明確でなければなりません。さもなければ、セッションがレッスンではなく、わけの分からない感覚の連続になってしまいます。

　2つの有機体（人間）がタッチによってつながるとき、本当の意味で、1つの相互連結したシステムになります。したがって、たとえ無意識であっても、生徒はつねに教師の組織立てに気づいています。教師もまた、つねに生徒の組織立てに気づいています。この気づきの多くは、概念的意識より深いレベルです。それゆえ、ときに教師は、どのように、またはなぜかを完全に知らなくても、生徒に必要なことを推測することができるのです。この相互連結の結果として、より良く組織化されたシステムから、より組織化されていないシステムへと、暗黙の情報が流れます。ほとんどの場合、これは教師から生徒への流れです。このようにして生徒の機能が向上することがありますが、それはある程度、レッスンの内容とは別です。

　レッスンが成功すると、生徒は望んだ変化——より動きやすくなる、痛みが減る、あるいは与えられた課題をより良く達成できるようになる——を日常生活に統合できます。成功したレッスンのなかには、生徒がすぐにはよく分からないものもあるかもしれません。受け取った情報を完全に処理し、変化を感じるのに、何日かかかることもあります。

参考
訳者ノート

体も心も、ぜんぶが声に関わっている

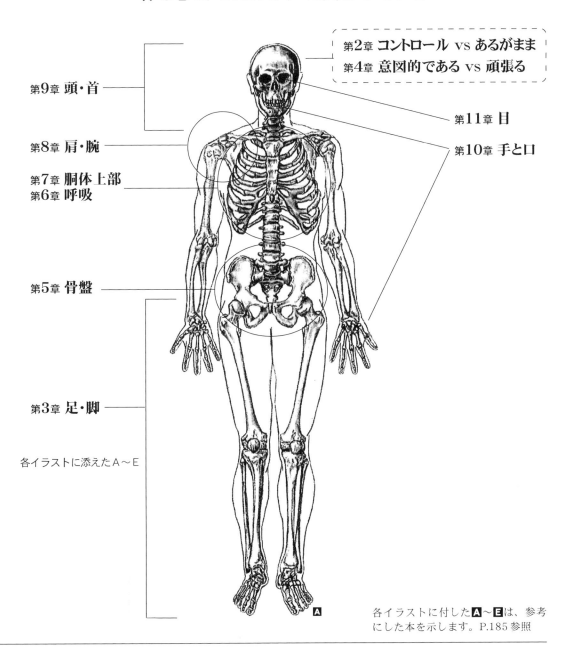

第9章 頭・首

第2章 コントロール vs あるがまま
第4章 意図的である vs 頑張る

第11章 目

第8章 肩・腕

第10章 手と口

第7章 胴体上部
第6章 呼吸

第5章 骨盤

第3章 足・脚

各イラストに添えたA～E

各イラストに付したⒶ～Ⓔは、参考
にした本を示します。P.185参照

Ⓐ

第3章　支えの土台、足・脚

●足は支えの土台。

　足をうまく使えば、簡単・即効的に声が改善。

●両足がしっかりと床についていれば、体がしっかり支えられる。

　体重が右か左に偏っていると、そちら側の肋骨が圧縮され、呼吸が弱まる。

●それぞれの足裏でも、前後・内外どの方向へも体重が偏らないこと。

　例）足の前側に体重がかかりすぎると、呼吸が弱まって声がか細くなる。

●バランスが悪いと不安を感じ、体が緊張。

　→呼吸がしにくくなり、パフォーマンスも低下。

●理想的にバランスが取れた状態は、どの方向へも自由に体重移動ができる状態。

　・バランスが良いと、立つにも動くにも、必要な力は最小で済む。

●ハイヒールは声に良くない？

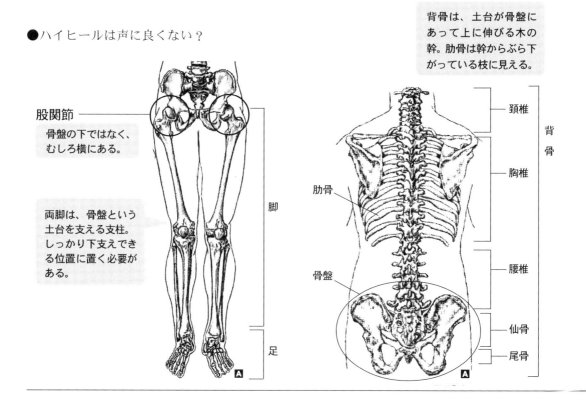

背骨は、土台が骨盤に
あって上に伸びる木の
幹。肋骨は幹からぶら下
がっている枝に見える。

股関節

骨盤の下ではなく、
むしろ横にある。

両脚は、骨盤という
土台を支える支柱。
しっかり下支えでき
る位置に置く必要が
ある。

脚

足

頚椎

胸椎

腰椎

仙骨

尾骨

背骨

肋骨

骨盤

第5章　骨盤のパワー

●骨盤は水盤の形。
　・仙骨・腸骨・恥骨・坐骨からなる骨の輪。
　・頭、胴体の重さは背骨を通り、仙骨にかかる。
　　骨盤の輪のおかげで体の重さが周囲全体に分
　　散できる。

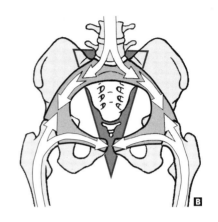

「お腹で支えなさい」の本当の意味
●骨盤は力の源、動きの中心。
　人体で最も力強い筋肉群がついている。

●骨盤は、骨格の構造的な中心、土台。
　・背骨を木の幹とすれば、根が骨盤にあり、そこから上に伸びる。
　　肋骨は幹（背骨）からぶら下がっている枝。
　・呼吸は肋骨の自由な拡張収縮によるので［→第6・7章］、骨盤がしっかり支えられなけ
　　れば、背骨→肋骨→呼吸→声に悪影響。

●立つとき、両脚は骨盤という土台を支える支柱の役割。
　骨盤を完全に下支えするよう、足は体の下に置く必要がある。

●伝統的な「正しい立ち方」（足の置き方）は間違っている？
　・肩幅に足を開いて立つ。→本当の「肩幅」とは？
　・片足を前に出して立つ。

●まっすぐ座るためにも、骨盤は重要。
　胴体の真下に骨盤を置き、体重が左右の坐骨に均等にかかるようにする。

●まっすぐ座るのに、筋肉的な頑張りは不要。
　背骨によって、バランスを保つのに必要最小限の力で体重が支えられる。
　→呼吸器官が完全に機能し、顎や喉に過度の緊張がない。

第6〜8章　呼吸（胸郭、背骨、肩）

●呼吸のしくみ……肺、肋骨と肋間筋、横隔膜

　・肋骨が広がり、横隔膜が下がることで、肺が広がり、空気が自然に入ってくる（吸気）。

　・肺は空っぽの袋。前後左右上下の6方向に開く。

[息を吸うとき]

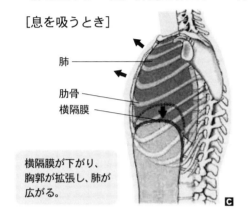

肺

肋骨

横隔膜

横隔膜が下がり、
胸郭が拡張し、肺が
広がる。

[息を吐くとき]

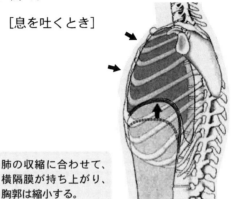

肺の収縮に合わせて、
横隔膜が持ち上がり、
胸郭は縮小する。

肋骨の柔軟性

●胸郭（肋骨）は本来、柔軟で、かなり拡張・変形できる。

　・良い呼吸＝肺が楽に開くためには、肋骨が自由に動く必要がある。

　・肺は胸にあるのだから、呼吸で胸が動くのは当然。胸を固めてはいけない。

●肋骨は12対。下に行くほど大きく重くなる。

　上の10対は前で胸骨と、後ろで背骨とつながっている。

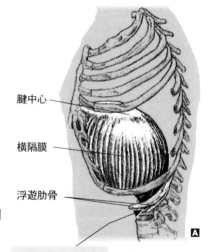

腱中心

横隔膜

浮遊肋骨

横隔膜は腰椎にも
付着している。

●下の2対の浮遊肋骨が重要。

　・胸骨につながらず自由に浮いているため、最も広がる
　　余地がある。

　・横隔膜の縁も浮遊肋骨に付着。浮遊肋骨が広がること
　　で横隔膜がさらに下がり、肺の下の方にも空気が入る。

　→頑張って吸い込まなくても、必要なだけの空気が瞬間
　　的に、自然に流れ込んでくる。

●ただし、お腹や胴体のどこも固めず、緩めておくこと。

背骨の柔軟性

●肋骨はすべて背骨に密接につながっている。
　背骨に動きにくいところがあれば、肋骨の動きが妨げられ、呼吸がしにくくなる。

●背骨は、上下・左右・前後に動く。
　良い動きの鍵は、首から骨盤（尾骨）まで、背骨全体が調和して動くこと。

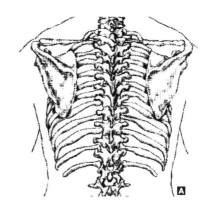

肩・腕の自由さ

●肩甲骨は肋骨に直接かぶさっている。
　・しかし肩甲骨と肋骨は関節していない。
　・肩甲骨に関係する筋肉のほとんどは肋骨を覆う。
　→締めつけられると肋骨の動きが妨げられ、
　　呼吸がしにくくなる。

●肩の筋肉は背骨の長さ全体に付着。
　→背中が締めつけられると、肩にも問題が起きる。
　　逆も同様。

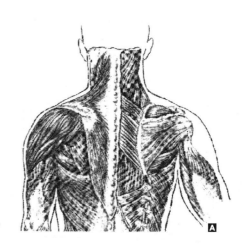

●肩の筋肉は、首や後頭部にもつながっている。
　→肩が緊張して持ち上がっていると、喉が開きにくくなり、顎にも問題が起きることがある。

その他

●なぜ緊張すると息を止めるのか？
　［→第6章］
●喉や口のリラックスも重要。
　［→第9章］
●唯一の正しい呼吸法はない。

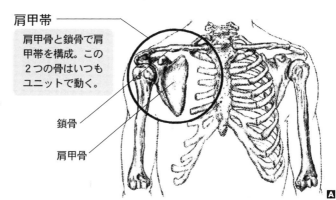

肩甲帯

肩甲骨と鎖骨で肩甲帯を構成。この2つの骨はいつもユニットで動く。

鎖骨

肩甲骨

第9章　頭と首

●頭と骨盤は反対方向に動いてバランスをとる。
どちらも大きく、背骨の両端にある。

●頭の位置は体全体のバランスの鍵。
頭は重いうえに、体の最も高い位置にあるため、最適な
位置から少しずれただけでもバランスを損ない、体が不
要に緊張する。

●首は頭に比べてデリケート。
バランスがまずいと、喉（声帯がある）が制限され、
声を詰まらせる。

●間違った頭の位置のいろいろ。
肩や首、喉、顎、唇、舌は相互に関係しており、
頭の位置が悪ければ、どれも声の響きを悪くする。

●頭が首の上で自由にバランスをと
れること。
固定した「正しい頭の位置」という
よりも、頭が首の上で上下左右に
自由に回れることが重要。

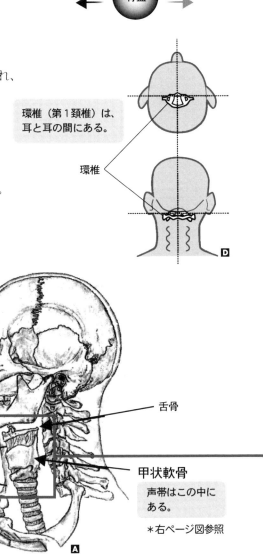

環椎（第1頚椎）は、
耳と耳の間にある。

環椎

D

舌骨

喉頭

甲状軟骨

声帯はこの中に
ある。

＊右ページ図参照

A

第10章　手と口

●舌と手には、神経学的に密接なつながりがある。

　手や指を緩めることで、舌の緊張を緩めることもできる。逆も同様。

●手と肩の筋肉は間接的につながっている。

　手が緊張すれば、肩も緊張する。[肩の緊張は発声を妨げる→第8章]

●顎、舌、口のまわりの筋肉の役割は、発音を明瞭にすることだけ。

　過度に緊張させると声の自由さを妨げる。

●喉頭は舌骨からマリオネットのようにぶら下がっている。

　・喉頭は軟骨で囲まれた箱で、声帯が入っている。

　・舌が後ろに引っ込む→舌の基底である舌骨が押し下げられる。

　→舌骨にぶら下がる喉頭も押し下げられて、発声が妨げられる。

●唇、頬の緊張も声の響きに悪影響。

　過度に緊張させると間接的に喉頭を制限し、声の響きを悪くする。

　口はやわらかくしておくことが大事。

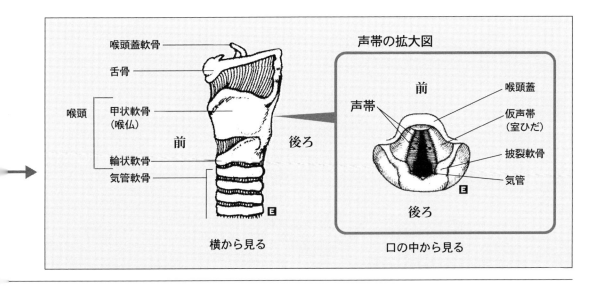

第11章　目

●目はバランス維持の役割も。
　前庭システムだけでなく、視覚的な手がかりもバランスに関わる。

●目の緊張の原因の１つは、近い距離に目の焦点を長時間合わせすぎること。
　読書やコンピューターを見続けるなど。

●「ソフト・アイ」＝目をやわらかく使う。
　遠くを見るようにすると、頭を上げて開いた
　状態になり、自分の中心を感じ、落ち着く。

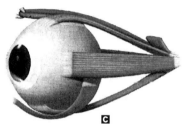

●目は神経システムの鍵。
　・外部からの感覚入力の90％は目から入るため、目の緊張を緩めると、神経システム全体
　　がリラックスする。
　・目がリラックス→頭や顎の筋肉も緩み、声の響きが増す。

●眼鏡は声にとって良くない？

●目の緊張は副鼻腔を圧迫し、共鳴が減少する。
　眼球を動かす筋肉、まぶた、眉は、副鼻腔と緊密につながっている。

鼻腔と副鼻腔

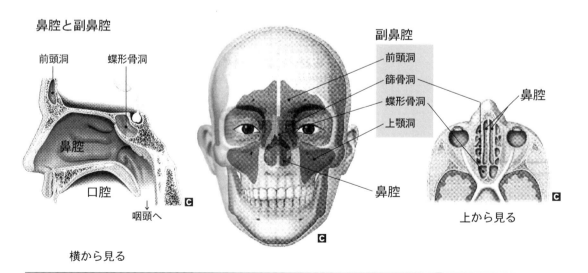

前頭洞　　蝶形骨洞

鼻腔

口腔

↓
咽頭へ

横から見る

副鼻腔
前頭洞
篩骨洞
蝶形骨洞
上顎洞

鼻腔

鼻腔

上から見る

訳者ノートのイラストは、以下の本を参考にしています。

（各イラストに付した**A**〜**E**と対照しています）

A『ボディ・ナビゲーション〜触ってわかる身体解剖〜』（医道の日本社）

B『カパンディ 関節の生理学 III. 体幹・脊柱』（医歯薬出版）

C『ぜんぶわかる 人体解剖図』（成美堂出版）

D『音楽家ならだれでも知っておきたい「からだ」のこと』（誠信書房）

E『ヴォイステクニックの真実 加瀬メソッド 発声・基礎編』（演劇ぶっく社）

用語集

咽頭 [いんとう] pharynx　　のどの壁、とくに軟口蓋から下の喉頭までをいう。

動きを通した気づき Awareness Through Movement（ATM）　　生徒が教師の言葉によって動きを順番にガイドされるグループレッスン。

運動感覚的な気づき kinesthetic awareness　　筋肉と関節の緊張と動きのレベルの変化を感じてモニターする能力。

横隔膜 [おうかくまく] diaphragm　　胸腔と腹腔の間の、筋肉と腱でできた仕切り。呼吸作用にとって重要な筋肉。

キネシオロジー kinesiology　　人間の動きのしくみについての研究。

機能的統合 [きのうてきとうごう] Functional Integration（FI）　　1対1の学びのプロセスで、動きがゆっくりとした優しいタッチを通して伝えられる。教師は生徒を一連の正確な動きを通してガイドし、それが習慣的なパターンを変え、直接、神経筋肉系統に、新しい学びをもたらす。

胸腔 [きょうくう] thoracic cavity　　胸の空洞。心臓・肺・気管の一部・食道を含む。

胸骨 [きょうこつ] sternum　　胸の骨。骨と軟骨でできた、薄く平らな構造で、ほとんどの肋骨（一番下の2対の"浮遊肋骨"を除く）が胸の前側でこれに付着している。

教授法 [きょうじゅほう] pedagogy　　教えることについての学問と技術。

口蓋 [こうがい] palate　　口（口腔）の天井部分。歯茎と硬口蓋・軟口蓋で構成される。

口蓋垂 [こうがいすい] uvula　　軟口蓋の後ろにある振り子状の筋肉。嚢のようにぶら下がっている。

喉頭 [こうとう] larynx　　気管の上に位置する筋肉と軟骨の組織で、声帯を含む、いわば"声の箱"。

固有受容感覚 [こゆうじゅようかんかく] proprioception　　見ることなく体の部分の位置を知ることに関わる感覚。

手根管症候群 [しゅこんかんしょうこうぐん] carpal tunnel syndrome　　繰り返されるストレスによる傷害の、よくある様態。手と手首の痛み、弱化、しびれを伴う。通常、手根骨と手根靭帯で囲まれたトンネル（手根管）内の正中神経が圧迫されることで起きる。

声域 [せいいき] registration(register)　　"一連の連続した等しい（あるいは類似した）音色の声音で、隣り合う一連の声音とは区別できる"（Miller 1986, 312）

脊柱前湾 [せきちゅうぜんわん] lordosis　　脊柱下部の過剰な前への湾曲。

舌骨 [ぜっこつ] hyoid bone　　舌の基部にあるU字型の骨で、これに喉頭がつながっていて

靭帯で吊り下げられている。

仙骨 [せんこつ] sacrum　　5つの融合した椎骨で1つの堅い骨を形成しており、腰椎（腰）の
すぐ下で尾骨の上にある。仙骨は骨盤の一部を形成する。

仙腸関節 [せんちょうかんせつ] sacroiliac　　繊維質の関節で、骨盤の仙骨と腸骨の間の部分。左
右に1つずつ、計2つある。

前庭システム [ぜんていしすてむ] vestibular system　　内耳に位置し、動きと位置の感覚をモ
ニターすることで、体がバランスと方向づけを維持するのを助ける。

トーヌス tonus　　正常な筋肉に特有の部分的な収縮状態。

トーン tone　　正常な緊張あるいは刺激への反応状態。とくに筋肉の張り具合。

内転筋 [ないてんきん] adductors　　その収縮の結果、寄り集まる、または中央の軸に向かって
閉じていく筋肉群（発声する間、声帯が寄ってくるときのように）。

軟口蓋 [なんこうがい] velum (soft palate)　　口の天井の柔らかい後ろの部分。

モジュール module　　仕事、体、あるいは構造の、より大きな要素のうちの他とは区別され
る部分。

肋間筋 [ろっかんきん] intercostal muscles　　肋骨の間の外側と内側にある短い筋肉群。

参考文献と情報源

参考文献

・Alderson, Richard. 1979. *The Complete Book of Voice Training*. West Nyack, N.Y.: Parker.

・Bunch, Meribeth. 1995. *Dynamics of the Singing Voice*. Vienna: Springer-Verlag.

・Christy, Van. 1967. *Expressive Singing*. New York: McGraw Hill.

・Coffin, Berton. 1989. *Historical Vocal Pedagogy Classics*. Metuchen, N.J.: Scarecrow Press.

・Feldenkrais, Moshe. 1949. *Body and Mature Behavior: A Study of Anxiety, Sex, Gravitation, and Learning*. New York: International Universities Press.

・———. 1985. *The Potent Self*. Ed. Michaeleen Kimmey. San Francisco: Harper & Row.

・Garcia, Manuel. *Exercises and Method for Singing*. In *Historical Vocal Pedagogy Classics*, ed. Berton Coffin. Metuchen, N.J.: Scarecrow Press, 1989.

・Gorman, David. 1983. *The Body Moveable*. Guelph, Ont.: Ampersand.

・Henderson, Larra Browning. 1979. *How to Train Singers*. West Nyack, N.Y.: Parker.

・McKinney, James, ed. 1994. *Diagnosis and Correction of Vocal Faults*. Nashville, Tenn.: Genevox Music.

・Miller, Richard. 1986. *The Structure of Singing: System and Art of Vocal Technique*. New York: Schirmer Books.

・Nair, Garyth. 1999. *Voice: Tradition and Technology: A State-of-the-Art-Studio*. San Diego: Singular.

・Norretranders, Tor. 1998. *The User Illusion: Cutting Consciousness Down to Size*. New York: Viking.

・Schmidt, Jan. 1998. *Basics of Singing*. New York: Schrimer Books.

・Shafarman, Steven. 1997. *Awareness Heals: The Feldenkrais Method for Dynamic Health*. Reading, Mass.: Addison-Wesley.

・Spence, Alexander P., and Elliot B. Mason. 1992. *Human Anatomy and Physiology*. Saint Paul, Minn: West.

・Todd, Mabel Ellswort. [1937] 1968. *The Thinking Body*. Princeton, N.J.: Princeton Book.

· Travell, Janet M., and David G. Simons. 1983. *Myofascial Pain and Dysfunction: The Trigger Point Manual*. Baltimore: Williams & Wilkins.
· Vennard, William. 1967. *Singing: The Mechanism and the Technique*. New York: Carl Fischer.
· Ware, Clifton. 1998. *Basics of Vocal Pedagogy*. New York: McGraw Hill.

情報源

· Alon, Ruthy. 1990. *Mindful Spontaneity: Moving in Tune with Nature*. Dorset, England: Prism. (Available in the United States through Avery Publishing Group, New York.)
· Feldenkrais, Moshe. 1972, 1977. *Awareness Through Movement*. New York: Harper & Row.
· ———. 1977. *The Case of Nora: Body Awareness as Healing*. New York: Harper & Row.
· ———. 1981. *The Elusive Obvious*. Cupertino, Calif.: Meta Publications.
· ———. 1984. *The Mater Moves*. Cupertino, Calif.: Meta Publications.
· Rywerant, Yochanan. 1983. *The Feldenkrais Method: Teaching by Handling*. San Francisco: Harper & Row.
· Zemach-Bersin, David, Kaethe Zemach-Bersin, and Mark Reese. 1990. *Relaxercise: The Easy New Way to Health and Fitness*. San Francisco: Harper & Row.

日本語で読める情報源

フェルデンクライス博士の著書と関連書籍

モーシェ・フェルデンクライス『心をひらく体のレッスン フェルデンクライスの自己開発法』
（原題：*The Master Moves*） 安井武 訳、一光社、2001 年（新版）

モーシェ・フェルデンクライス『フェルデンクライス身体訓練法 からだからこころをひらく』
（原題：*Awareness Through Movement*） 安井武 訳、大和書房、1993 年（新装版）

マーク・リース（他）『フェルデンクライスの脳と体のエクササイズ 健康とリラックス、フィッ
トネスのためのらくらくエクササイズ』（原題：*Relaxercise: The Easy New Way to
Health and Fitness*） かさみ康子 訳、晩成書房、2005 年

フランク・ワイルドマン『健康で知的なからだをつくる51のレッスン からだの気づきで脳が
変わるフェルデンクライスメソッド』（原題：*The Busy Person's Guide to Easier
Movement: 50 ways to achieve a healthy, happy, pain-free and intelligent body*） 藤
井里佳 訳、森ノ宮医療学園出版部、2012 年

かさみ康子『はじめてのフェルデンクライス バランスのとれた、美しい体と心』地球丸、
2013 年

ノーマン・ドイジ『脳はいかに治癒をもたらすか 神経可塑性研究の最前線』（原題：*The
Brain's Way of Healing: Remarkable Discoveries and Recoveries from the Fron-
tiers of Neuroplasticity* ） 高橋洋 訳、紀伊國屋書店、2016 年
※第5章、第6章でフェルデンクライスについて詳しく書かれています。

フェルデンクライス教師を探すなら

日本フェルデンクライス協会
http://j-felden.org/

レッスンの索引

レッスンによって主要な効果があるエリア

　レッスンのタイトルに表示されているエリア以外にも、著しい変化が期待できるエリアが、タイトルに続いて大きな効果がある順番に並んでいます。

関心があるエリアからレッスンを探す

特定の関心事に役立つレッスンで、有効な順番に並んでいます。

全般的な索引

訳者による解説

　この本の原書は *"Singing with Your Whole Self: the Feldenkrais Method and Voice"*（原題『あなた全体で歌う：フェルデンクライス・メソッドと声』）です。最初2001年にアメリカで出版され、イギリス、カナダ、オーストラリア、ニュージーランドでも読まれています。2005年にはドイツ語版も出版されて、どちらも刷りを重ねている人気書です。

　フェルデンクライス・メソッドは、やさしい動きを通して脳神経系に働きかけ、体の使い方を改善していく身体学習法で、欧米・オセアニア・イスラエルを中心に、音楽家・ダンサー・スポーツ選手・リハビリの専門家らにも広く活用されています。筋力トレーニングやストレッチではなく、単なるリラックス法でもありません。欧米やオーストラリアでは、音楽家とりわけ歌手の間で非常に人気があります。

　歌う人だけでなく、演劇や朗読・語りなど、声を改善したい人全般（それを助ける人も含めて）の役に立つ内容ですから、日本語版のタイトルは『声のための体のレッスン』としました。歌と同じく息を使う楽器はもちろん、器楽奏者の方全般にも役に立ちます。

■おすすめの読み方

　本書には、興味深いトピックスが満載です。順番通りに全部を理解してから次に進もうとせず、分からないところは読み飛ばして、分かるところ、面白いところから読むことをおすすめします。目次や解説を見て興味を引かれるところを拾い読みすることもできます。とくにフェルデンクライスに馴染みのない方には、よく分からない事柄がたくさん含まれているかもしれませんが、どうぞ分からない箇所にこだわらないでください。今分かるところだけでも役に立つ情報がたくさんあります。

■この本の構成

　この本は、大きく分けて次の要素から成り立っています。

（1）体の各部分と声がどう関わっているかについての解説

（2）体を整えていくために自分ひとりでもできる21のレッスン

（1）声と体の関係の解説

　声のレッスンで最も一般的なのは「お腹を使って」「お腹で支えて」という指導ですが、それが本当はどういうことなのかが、解剖学的な解説を通して理解できます（**第5章**）。本当はお腹や声帯（喉）だけでなく、足裏から頭まで、体全部が有機的につながって声に関係して

います。胸も肩も、目までが関係していると知れば驚かれるかもしれませんが、実際、目の緊張を緩めることで全身の緊張が減り、呼吸も楽になります（**第11章**）。

　体についての間違った思い込みのため、歌いにくくなっていることもあります。たとえば腹式呼吸が重要視されるあまり、呼吸で胸や肩が動いてはいけないと思い込み（肺は胸にあるため、胸が拡張収縮しなければ呼吸はできないのですが）、胸や肩を動かないように固めれば、当然呼吸がしにくくなり、響きも悪くなります（**第6・7・8章**）。逆に言えば、本文を読むだけで、本来の自然な体のしくみが分かり、体のイメージが変わることで体の使い方が変わり、結果として声の響きが良くなるでしょう。

　主に第3章と第5~11章で、体の各部分と声との関係、体の部分同士の関係が具体的に解説されています。忙しくて読む時間がない方のために、解説部分のポイントをまとめた「訳者ノート」もつけました。

（2）自分でもできる体のレッスン

　各章には、（1）の解説の後に、具体的にそれを体で感じられるレッスンがあります。

　床の上で寝てすることが多いフェルデンクライスですが、本書ではほとんどのレッスンは椅子でできるようにアレンジされており、合唱団やオーケストラでも、また家で自分ひとりででも行なうことができます（**レッスンの使い方は第12章**）。また、各レッスンが、いくつかのモジュールに分けられているので、状況に応じてレッスンを短くしたり長くしたりすることができるのも本書の特長です。

　でも、フェルデンクライスのレッスンは、普通のエクササイズやストレッチのように、ぎゅっと力を入れてやったり引っ張ったりすると、効果がありません。体に意識を向けずに機械的に行なうと、場合によっては体を痛めることもあります（どんなエクササイズでもそうですが）。レッスンの動き自体は目的ではなく、体のつながりや、無意識に固めている部分などに気づくための、いわば道具です。無理をせず、「心地よく、楽にできる範囲で」動く限り、たとえレッスンを間違えてやったとしても問題はありませんし、何らかの効果が期待できます。

　本書には、（1）のような、読んで頭で理解しただけで体の使い方が変わる知識も多く含まれていますが、本書の目的そしてフェルデンクライス・メソッドの一番重要なことは、体の気づき、身体感覚（運動感覚）を高めていくことです。

　声楽や楽器などのレッスンで、「もっと力を抜いて」という指導はよくありますが、ほとんど役に立ちません。すでに力が入っていて抜けない人が、「頑張って」力を抜こうとすれば、さらに緊張が高まるだけだからです（実際は、力を抜くより力を入れる方が簡単です）。また、いくら先生からやり方を注意されても、自分がどのようにしてやっているかに本人が気づけなければ、直すことはできません。

（2）のレッスンを通して体の気づきが増し、身体感覚が高まってくると、自分がやっていることを感じられるようになります。それにつれて不要な緊張が減り、体の使い方が良くなります。やっていることが前よりも楽に、うまくできるようになります（第1章、運動感覚的な想像力）。

　一般的に「頑張れば頑張るほど良い」と思われていますが、体の積極的なコントロールや過剰な頑張りには弊害があります。なぜ良くないのか、体の使い方が変わる考え方が、主に第2・4章で紹介されています。

　本書の、というよりもフェルデンクライスのユニークな点は、これらのレッスンを適切に行なえば、声が改善するだけでなく、楽器演奏・スポーツ・ダンスなどのパフォーマンスも向上し、腰痛や肩こりなどの体の不調も自然に改善することです。逆説的ですが、声のため「だけ」の体の使い方はなく、体を痛めない使い方も、スポーツなどの効率的な体の使い方も、「体の良い使い方は共通」なのです。

　初めてフェルデンクライスのレッスンを受けた後、「えっ、あんな小さな動きで、こんなに変化があるの?!」「自分が普段、どれほど力を入れていたかが分かった」と驚く人は少なくありません。フェルデンクライスのレッスンを受けたことがない方（とくに声楽や合唱団の指導者の方）は、できれば一度、資格を持つフェルデンクライス教師から実際のレッスンを受けてみることをおすすめします。どんなに力が少なくて済むのか（むしろ力が少ない方が良いのか）が分かり、本書のレッスンをもっと活用しやすくなるでしょう。

　『フェルデンクライスの脳と体のエクササイズ』（マーク・リース／デヴィッド・ゼメック・バースン著、晩成書房 2005）も、豊富なイラストを中心にレッスンを紹介しており、おすすめです。

　なお、日本語版作成にあたり、訳者が原著を読んで不明な箇所は、何度も原著者に質問しました。その100を超える質問に、原著者のネルソン博士はすべて丁寧に答えてくれました。この日本語版では、少しでも日本の読者の理解を助けるため、著者の回答を踏まえて原著とは少し言い換えている箇所がいくつかあります。また、訳注ではさらに詳しく説明しているものもありますが、すべて著者の了解を得ています。

　実は、日本語版出版の準備中の2018年に、アメリカでは原著の改訂版（第2版）が出版されました。その際、多くの修正がなされましたが、そのほとんどは私が指摘した箇所を明らかにしたものか、ここ約20年間の英語の言い回しの変化を反映したものだったそうで、ネルソン博士からは「あなたがすでにしてくれた以上の大きな修正は何もない」とのことでした。そして、博士が私に贈ってくれた改訂版には、「感謝を込めて。あなたが良い仕事をしてくれたおかげで、この改訂版がより理解しやすく使いやすいものになったよ」とメッセージが添えられていました。

■「神経可塑性」

　ただ、改訂版には新たに「神経可塑性」という章が付け加えられたことを申し添えたいと思います。「神経可塑性」とは、「私たちの脳が新しい細胞を再成長させ、損傷を修復し、新しいつながりを再配線し、失われた機能を取り戻すために脳の資源を割り当てし直すことができること」(Pape, Karen.2016) です。

　本書改訂版に先立つ 2015 年に、"The Brain's Way of Healing: Remarkable Discoveries and Recoveries from the Frontiers of Neuroplasticity" (日本語版は『脳はいかに治癒をもたらすか―神経可塑性研究の最前線』、紀伊国屋書店) という科学・医療分野の本が出版され、全米ベストセラーになりました (現在、世界 19 か国語に翻訳、100 か国以上で読まれています)。著者であるカナダの著名な精神科医ノーマン・ドイジは、この本の中で 2 章にわたり、フェルデンクライスを有効な神経可塑的メソッドとして詳しく紹介しています。本書の改訂版に「神経可塑性」という章が加わったのは、これを受けてのことでしょう。

　人間の脳には、死ぬまで新しいつながりを作る能力があり、これこそが私たち人間の順応能力の鍵です。脳は変わることができる――それが「神経可塑性」です。しかし長い間、医師や神経科学者たちは人間の脳の損傷は永久的で逆転できないと考えてきて、医療界の主流でようやく、この革命的な「神経可塑性」という考えが受け入れられるようになったのは、20 世紀後半のことです。

　本書改訂版の「神経可塑性」の章では、それよりずっと前から神経可塑性を利用していた傑出した先駆者たちの手法――視覚を改善するベイツ・メソッド、身体教育の手法であるアレクサンダー・テクニーク、メイベル・エルスワース・トッドの研究、そしてフェルデンクライス・メソッド――が、ざっと紹介しています。また、医療界における神経可塑性の認知の変遷、神経可塑性がどのように働くか (Merzenich 2013, 53-59)、さらに、視覚・聴覚・運動における神経可塑性の具体例が紹介されています。

　神経可塑性が一般の人に知られるようになったのは、先述のノーマン・ドイジの前作『脳は奇跡を起こす』(講談社インターナショナル、原書は "The Brain That Changes Itself" 2007) と『脳はいかに治癒をもたらすか―神経可塑性研究の最前線』においてであると、本書改訂版で著者は書いています。神経可塑性に関心がある方には、このノーマン・ドイジの 2 冊をお読みになることを強くおすすめします。

　このように、フェルデンクライスのレッスンは動きを使いますが, 体操や筋トレ、ストレッチではありません。神経可塑性を利用する――つまり、「脳を変える」ために「動き」を使う身体教育なのです。脳がよりよく学ぶためには「気づき」、つまり違いが感じられることが重要です。刺激が小さいほど感受性が高まり、わずかな違いや変化にも気づくことができるため、フェルデンクライスでは、一般的なエクササイズのように大きく速く動くのではなく、頑張らないゆっくりとした動きが強調されるのです。

ちなみに、「シェルハブ・メソッド」（フェルデンクライス博士の最初期の弟子ハヴァ・シェルハブ氏による、子どもの発達を見守り後押しする手法）や、「JKA（ジェレミー・クラウス・アプローチ）」「アナット・バニエル・メソッド」（それぞれ博士の弟子のジェレミー・クラウス氏、アナット・バニエル氏による、特別支援の子どもの能力をひきだし学びや発達を助ける手法）など、フェルデンクライスを基にして脳の可塑性を利用したアプローチはたくさんあります。

■フェルデンクライスと柔道の創始者・嘉納治五郎

　実は、フェルデンクライス・メソッドは日本と深いかかわりがあります。フェルデンクライス博士は青年時代にパリで、柔道の創始者・嘉納治五郎と運命的に出会い、嘉納本人から柔道のヨーロッパでの普及を託されました。フェルデンクライス青年が最初のフランス柔道クラブを共同で設立し、柔道に関する本を数冊出版するなどしたことが、現在のフランスをはじめとする欧州での柔道人気の礎になったのです。博士はのちに、自分のメソッドについて「柔道から大きな影響を受けている」とインタビューで答えています。フェルデンクライス・メソッドの何百もあるレッスンのなかには、柔道に由来するものがいくつもあって、「ジュードー・ロール」（柔道の受け身のこと）という名前のレッスンもあります。

　フェルデンクライス博士の最初のアシスタントで、親しい友人でもあったミア・シーガル氏によれば、博士の本棚には日本や東洋の哲学などに関する本がずらりと並ぶほど、博士は日本や東洋に憧れを抱いていたそうです。博士のメソッドは、東洋的な精神や本質に、西洋的な思考法や論理性を加えたものだといえるでしょう。

　日本の多くの方が、日本にも関わりの深いこのメソッドを知り、体の使い方や考え方のヒントを得て、声はもちろんのこと、今よりももっと楽に気持ちよく生きられることを願ってやみません。

　最後に、本書の出版に関しまして、晩成書房の水野久社長に深く感謝いたします。日本語版出版を快諾してくれた原著者のお二人にも感謝いたします。また、安藤緑さん、山倉朋子さん、松本悦子さん、西村英士さん、中尾由美さん、工藤洋子さんほか、多くの方のご協力にも心から感謝いたします。とくに、故・丹治千鶴子さんには、大変お世話になりました。長時間を割いて私の英語理解と原稿チェックを助けてくださいました。今は天国にいる彼女に、この場を借りて心からお礼申し上げます。

●日本フェルデンクライス協会の公式サイト　https://j-felden.org/
　全国のフェルデンクライス教師を探せます。

【著者】

サミュエル・H・ネルソン / エリザベス・L・ブレイズ

■**サミュエル・H・ネルソン**は、1987年にトロントのフェルデンクライス指導者養成プログラムを卒業。1985年から一般の人向けに「動きを通した気づき」(ATM) のクラスを教えている。長年、イーストマン音楽学校で各学期にフェルデンクライス・メソッドに基づいたセミナーを行なうほか、複数の州の音楽学校でセミナーを開催。また、理学療法士や馬術者向けのワークショップも行なっている。ニューヨーク州ロチェスターで個人開業。『自分全体で演奏する：フェルデンクライス・メソッドと音楽家 *Playing with the Entire Self: The Feldenkrais Method and Musicians*』(1989) の著者。経済学の学士号・修士号を持つ。ウィスコンシン大学で環境科学の博士号を取得。

■**エリザベス・L・ブレイズ**は、イーストマン音楽学校で音楽芸術の博士号と修士号を取得。現在シェナンドー大学の音楽の准教授。元ハイデルベルク大学の音楽の准教授、声楽分野のコーディネーター、オペラのディレクター。『声のスペクトル：傑出したアメリカの声楽教師たちが歌を教えることについて討論する *A Spectrum of Voices: Prominent American Voice Teachers Discuss the Teaching of Singing*』(2001) 著者。フェルデンクライス・メソッドがパフォーマンス向上にもたらす著しい効果を伝えるべく、アメリカ国内外でワークショップを行なっている。ソプラノ歌手。

【訳者】

西田佳代

国際フェルデンクライス連盟公認指導者、MBSマスタープラクティショナー。大学時代、合唱団の指揮者になったことをきっかけに、声楽レッスンや発声の講習会を受け始める。以降、西洋のクラシック音楽的な発声にとどまらず、民族的な発声や話す声も含め、広く「声」に興味を持ち、多様な先生から学ぶ。「良い声のための体の使い方」を求めてボディ・ワークを探すうち、フェルデンクライス・メソッドに出あう。2011年に4年間のフェルデンクライス指導者養成コース（京都1期）を卒業。2012〜2017年には毎年ドイツやアメリカなどで、ミア・シーガル氏（創始者の最初のアシスタントであり最も著名な教師）とその娘レオラ・ガスター氏から直接指導を受け、さらに研鑽を積む。「特別な支援を必要とする子どものためのJKA東京2」修了。大阪市立大学文学部卒業、兵庫教育大学大学院音楽コース修士課程修了。指揮法を斉田好男氏に師事。

現在、神戸を拠点として、フェルデンクライスと声のレッスンを行なっている。

フェルデンクライス神戸　http://www.feldenkrais-kobe.com/

フェルデンクライスの
声のための体のレッスン

| 2023年10月20日 | 第1刷印刷 |
| 2023年10月30日 | 第1刷発行 |

著　者　サミュエル・H・ネルソン
　　　　エリザベス・L・ブレイズ

著　者　西田佳代

発行者　水野 久

発行所　株式会社 晩成書房

● 〒101-0064東京都千代田区神田猿楽町2-1-16
● 電　話 03-3293-8348
● ＦＡＸ 03-3293-8349

印刷・製本　美研プリンティング株式会社

乱丁・落丁はお取り替えします
ISBN978-4-89380-519-5 C0075
Printed in Japan